C'MON MIDFFÎLD

Rhagor o hanesion

C'MON MIDFFÎLD

Alun Ffred a Mei Jones

Addaswyd gan Alun Ffred

HUGHES

Argraffiad cyntaf: Rhagfyr 1990

ISBN 0 85284 088 8

Dymuna'r cyhoeddwyr gydnabod cymorth a chyfarwyddyd Adrannau'r Cyngor Llyfrau Cymraeg a noddir gan Gyngor Celfyddydau Cymru.

Cysodwyd y llyfr hwn mewn Plantin 11/14.

Cysodwyd ac argraffwyd gan Cambrian Printers, 18-22 Queen Street, Aberystwyth, Dyfed, SY23 1PX.

Cyhoeddwyd gan Hughes a'i Fab, Clos Sophia, Caerdydd, CF1 9XY

Cyflwynir y gyfrol hon er cof am

GARI WILLIAMS

RHAGAIR

Dymuna'r awdur ddiolch i'r golygydd hynaws, Dylan Williams, am y cannoedd o lythyrau yn ei annog i gwblhau'r gwaith ac am ei fawr ofal. Diolch yn ogystal i Elsbeth Harvey am ddeall y traed brain a theipio. Diolch i John, Sian, Mei, Llion a Bryn am eu cyfraniad dros y blynyddoedd. Dymuna'r awdur hefyd roi'r bai ar Dylan Williams, Cambrian Printers, y Cyhoeddwyr a'r Cyrnol Gadaffi am y gwendidau. Ar y llaw arall, ynghyd â'r Br Mei Jones o Langernyw, dymuna'r awdur gymryd unrhyw glod (ac arian) a all ddeillio o'r fenter ffôl hon.
Y mae unrhyw debygrwydd rhwng y cymeriadau a'r digwyddiadau yn y straeon a rhai yn y byd go-iawn yn gwbl fwriadol.

Alun Ffred Jones

Y REFF

Doedd Arthur Picton ddim yn ddyn crefyddol. Anaml y byddai na nefoedd nac uffern nac angel na diafol yn blino ei feddyliau. Ac eto, weithiau, gefndrymedd nos, byddai'r rheolwr yn deffro o ganol hunllef yn chwys oer. A'r un fyddai'r ddrychiolaeth bob tro: fflyd o ddemoniaid du a gwyn fel Batmyn (os mai dyna ydi lluosog Batman) mewn dillad dyfarnwyr yn ymosod arno. Pob un â phib yn ei geg a sŵn fel cant o glychau tân yn canu. Byddai'n deffro fel dyn o'i go yn sgrechian am i Elsie ei achub.

Y gwir amdani ydi bod dyfarnwyr wedi ymffurfio'n ddemoniaid yn isymwybod Arthur Picton. Y *nhw* oedd wedi, a *nhw* oedd yn dal i sefyll rhyngddo ef a llwyddiant a chlod. Y *nhw* oedd yn cynllwynio i gosbi ei dîm annwyl am droseddau nad oeddent wedi digwydd, ond gan roi tragwyddol heol i dimau eraill wneud fel y mynnent. Byddai seiciatrydd, o bosib, yn dweud bod Arthur Picton yn dioddef o paranoia. I Arthur ei hun, ar y llaw arall, synnwyr cyffredin oedd meddwl fel hyn. Roedd pob reff un ai'n ddall neu'n ddwl, a nifer mawr ohonynt yn ddall ac yn ddwl.

Ond y prynhawn arbennig hwn roedd yr hunllefau hyn ymhell o feddwl Arthur pan ganodd y ffôn.

'Helô, Mr Picton,' meddai'r llais ar y pen arall. 'Y Parchedig Huw Davies sydd yma . . .'

Heb aros i feddwl rhuthrodd Arthur i'w amddiffyn ei hun cyn i'r llais ei gyhuddo.

'Ia, wel braidd yn anodd ydi hi wedi bod arna i yn

ddiweddar, Mr Davies. Mi fydda i'n gweithio - gorfod felly - yn bur amal ar y Sul, ond dw i'n talu'r *subscription* bob blwyddyn, cofiwch.'

Wedi saib fer dechreuodd y llais ar y pen arall eto - yn fwy petrusgar y tro hwn.

'Na, rydach chi wedi camddeall, Mr Picton. Nid eich gweinidog chi ydw i.'

Ymbalfalodd y rheolwr am rywbeth synhwyrol i'w ddweud.

'O! O! Sori - drysu wnes i. Davies ydi'n gweinidog ni hefyd,' gan ychwanegu dan ei wynt, 'Dwi'n meddwl.'

Yn ffodus i'r rheolwr gwella wnaeth pethau wedyn. Y Parchedig Huw Davies fyddai dyfarnwr y gêm rhwng Bryncoch a'r Groes ddydd Sadwrn, ac roedd angen pàs i'r gêm arno gan fod ei gar wedi torri i lawr. Roedd Arthur Picton yn rhy ddryslyd i fedru gwneud dim ond cydsynio, ond wrth daro'r ffôn i lawr dechreuodd roi ei feddwl chwim a chynllwyngar ar waith.

'Y Parchedig Huw Davies,' sibrydodd wrtho'i hun. Ac yna fel un wedi cael gweledigaeth, taranodd, 'Sandra! Dos i ofyn i dy fam lle mae hi'n cadw'r Beibl a'r llyfr emyna! Reit sydyn.'

Daeth Sandra o'r llofft a golwg amheus iawn ar ei hwyneb. Ond roedd blynyddoedd o gyd-fyw â'i thad wedi ei dysgu nad dyma'r lle na'r awr i holi'r cwestiwn amlwg.

Brynhawn Sadwrn am un o'r gloch roedd bỳs tîm Bryncoch yn sefyll ar sgwâr y pentref. Dylid esbonio yn y fan hyn nad mewn bỳs y byddai'r tîm yn teithio fel arfer i gêmau oddi cartref, ond ar y nos Iau cafodd y rheolwr bedair galwad ffôn gan aelodau'r tîm oedd yn berchen car, a phob un yn rhoi'r un neges. Doedd y car ddim ar gael ar y dydd Sadwrn i gario'r bois i'r gêm. Roedd gwraig un angen y car i fynd i siopa; un arall wedi anghofio cael treth, un arall yn mynd â'r car i'r garej, a'r olaf yn honni bod pwys o fenyn wedi toddi ar y sêt gefn mewn gwres tanbaid, a bod angen gasmasc i deithio ynddo. Roedd Arthur Picton yn nabod y ddynoliaeth yn ddigon da i sylweddoli bod rhyw ddrwg yn y caws yn ogystal â'r menyn ond, am unwaith, roedd o'n methu rhoi ei fys arno. A ph'run bynnag, roedd ganddo ei gynllwyn ei hun, a byddai bŷs i'r gêm yn ateb ei ddiben i'r dim. Ac felly y daeth y bŷs i fod ar y sgwâr y pnawn Sadwrn hwnnw. Ond, fel arfer, roedd rhai'n hwyr.

'Oes rhaid i Tecwyn fod yn hwyr bob wythnos?' gofynnodd Arthur yn flin.

'Mae hi'n un anodd ei thrin,' atebodd Wali.

'Pwy?'

'Jean!'

Roedd Picton yn gwybod yn iawn yr ateb i'r 'pwy' wrth gwrs, ond roedd yn llai o drafferth ac yn gynt i ddarfod y sgwrs fel yna na gwrando ar druth arallfydol hir gan fab Mrs Thomas. Toc daeth Tecwyn i'r golwg.

'Lle wyt ti wedi bod?' holodd Arthur, o arferiad yn fwy nag o ddiddordeb yn yr ateb.

'Roedd rhaid i mi fynd â . . . '

'Jean, wn i. Tyd. Pwy sy ar ôl eto?'

'George, Graham, Wili Bryngo a . . . ' ond cyn i Wali orffen ei restr daeth pump o'r hogiau at y bŷs yn llawn sŵn.

'Lle ti 'di bod?' Arthur eto, yn fwy blin.

'Ma' *birthday* fi heddiw a ti'n gwbod fel un o hogia'r Bull pan ma' rhywun yn cael ei pen-blwydds . . . '

Trodd Arthur ei ben ac edrych mewn anobaith. Edrychodd Wali arno i geisio penderfynu pa fath o ymateb fyddai'n gweddu orau iddo fo. Edrychodd Tecs drwy'r ffenest. Ceisiodd George achub ei gam trwy esbonio mai dim ond pum peint oedd o wedi ei gael. Anwybyddodd Arthur ef. Roedd ganddo bethau pwysicach ar ei feddwl. Roedd ganddo gynllwyn ac roedd y tîm cyfan yn rhan ohono. Esboniodd ei fod wedi trefnu i gynnig pàs i'r dyfarnwr i'r gêm ac mai gweinidog oedd Huw Davies.

'Rŵan, gwrandwch, dyma be 'dan ni am neud. I ddechra, agorwch y ffenestri, mae hi fel *brewery* yma. Yn ail, dydan ni ddim am yfad; nacdan, George? A dydan ni ddim yn mynd i regi; nacdan, Graham? A dydan ni ddim yn mynd i ofyn cwestiynau gwirion; yn nacdan, Wali? Ac yn sicr dydan ni ddim yn mynd i chwara hefo hwnna; nacdan Harri? Dw i isio i'r gweinidog deimlo ei fod o ar drip Ysgol Sul Moreia, felly dim caneuon budron. Iawn?'

'Co, Affyr, mae hi fel bod mewn confent,' oedd sylw George.

'George, fyddwn i ddim yn dy adael di o fewn can milltir i gonfent. Dos i ista i'r cefn, a phaid â dŵad â'r cardia 'na i'r golwg. Awê, Eric.'

*

Pan stopiodd y bŷs ger Tai Pen Lôn camodd y dyfarnwr a'r gweinidog - y ddau yn un, fel petai - ar y bŷs ac i freichiau agored Arthur Picton a'i croesawodd gyda brwdfrydedd Stanley yn dod ar draws Livingstone yn y Congo erstalwm.

'Dwi'n ddiolchgar iawn i chi,' meddai Huw Davies.

'Mae'n bleser cael gneud cymwynas, Mr Davies bach . . . Be mae'r hen air yn 'i ddeud? "Ac efe a'i gosododd ar ei anifail ei hun ac a'i dug ef i'r llety." Y Samariad Trugarog 'te, Mr Davies?' Roedd Arthur wedi bod yn paratoi'n ofalus. Cododd aeliau'r gweinidog.

'Rydach chi'n hyddysg yn eich Beibl, Mr Picton.'

'O, mi fydda i'n pori ynddo fo o dro i dro,' oedd sylw celwyddog y rheolwr.

Ar draws yr ale ac un sedd yn ôl roedd Wali wedi ei osod allan o gyrraedd y dyfarnwr ac yng ngofal Tecwyn. Ond roedd sylw Arthur am y "cwestiynau gwirion" wedi brifo Wali Thomas.

'Wyt *ti*'n meddwl 'mod i'n gofyn cwestiynau gwirion?'

Cwestiwn anodd yn hytrach nag un gwirion oedd hwn i Tecwyn.

'Doedd o ddim yn 'i feddwl o, 'sti.'

Ond doedd ateb tila fel'na ddim yn mynd i dawelu Wali.

'Tydw i ddim mor ddwl â mae pobl yn 'i feddwl, chwaith. Ac i ti gael dallt, dim ond i'r ysgol sentral aeth Arthur. Mae o'n dal eu bod nhw wedi colli ei bapur *eleven plus* o, ond dw i'n gwbod y gwir. Tynnu llun mochyn ddaru o yn lle gneud ei sŷms.'

Ar ôl sibrwd y ffaith ryfeddol hon wrth Tecwyn, roedd Wali'n amlwg yn teimlo ei fod wedi talu'r pwyth yn ôl am y sarhad. Setlodd yn ôl yn ei sedd gan edrych yn herfeiddiol ar war cringoch ei reolwr. Edrychai Tecwyn i'r un cyfeiriad a gwên yn bygwth torri allan ar ei wyneb.

Pan gyrhaeddodd y bŷs ben y daith roedd Arthur Picton yn teimlo bod ei holl gynllwynio wedi bod yn llwyddiant ac ar fin dwyn ffrwyth ar ei ganfed. Rhwng sŵn y bŷs a George doedd Tecwyn ddim wedi clywed llawer o'r sgwrsio fu rhwng y dyfarnwr a'r rheolwr, ond pan stopiodd y gyrrwr i adael i gar fynd heibio clywsai Arthur yn llefaru.

'A dw i'n siŵr y cytunwch chi efo mi bod yn rhaid i ni Gristionogion sticio hefo'n gilydd ar faes y gad - a'r maes pêl-droed, tasa hi'n dod i hynny. Cymrwch chi'r gêm 'ma'r pnawn 'ma, er enghraifft . . .'

Boddodd rhuo'r injan y gweddill, a diolchodd Tecs i Ragluniaeth am hynny. Roedd o'n dechrau teimlo'n sâl.

*

Roedd hi'n bandemoniym yng nghwt newid Bryncoch. George â joc-strap am ei ben yn ei gwrcwd ar lawr ac yn edrych yn simsan iawn.

'Cael pen-blwydds, tydw,' murmurodd rhwng pyliau o chwerthin.

'Mi gei di glywed mwy am hyn eto, washi!' bloeddiodd y rheolwr.

'Mae gen i Victory V geith o,' cynigiodd Wali.

'Paid â siarad yn wirion. Wedi 'i dal hi mae o, ddim wedi cael annwyd!'

Sythodd Wali.

'O! Barodd yr ysbryd Cristnogol ddim yn hir, naddo?' meddai'n herfeiddiol gan syllu i lygaid Arthur, rhyw droedfedd uwchlaw iddo. Roedd Tecs ar fin ceisio tawelu'r dyfroedd pan ddaeth cnoc ar y drws. Y dyfarnwr oedd yno wedi dod i ddymuno pob hwyl i'r tîm. Sylwodd ar George yn ei gwman.

'Be sy'n bod ar y cyfaill, Mr Picton? Ydi o'n wael?'

'Nacdi, nacdi.' Wyddai o ddim beth arall i'w ddweud.

'Gweddïo mae o!' oedd cynnig Wali.

Edrychodd y Parchedig Huw Davies ar George, yna ar Arthur a oedd heb symud gewyn ers deg eiliad. Os oedd amheuaeth ym meddwl Huw Davies doedd o ddim yn dangos hynny.

'Diddorol iawn. Golygfa anarferol.'

'Anarferol iawn.' Roedd Arthur wedi dod o hyd i'w dafod.

'Wel wna i ddim tramgwyddo ar 'i fyfyrdod o. Wela i chi ar y cae.'

Caeodd y drws. Edrychodd y tîm ar ei gilydd. Rhuthrodd Arthur at George, a'i godi fel sachaid o datws gan weiddi trwy'i ddannedd, 'Deffra'r penci! Gweddïo! Be nesa?'

Pan welodd ddwrn Arthur yn cau, camodd Wali atyn nhw gan gynnig arwain George i'r awyr iach i'w ddadebru. Dilynodd y tîm yn ansicr. Pawb ond Tecwyn. Pesychodd hwnnw cyn mentro, 'Arthur.'

'Be sy?'

'Wali.'

'Be amdano fo?'

'Ti wedi ypsetio fo. Deud 'i fod o'n gofyn cwestiyna gwirion.'

'Wel mae o, tydi?' meddai Arthur fel 'tai'n dweud ffaith amlwg wrth blentyn.

'Ia, ond dydi o ddim mor ddwl â mae pobol erill yn feddwl ydi o.'

'Dwl? Ti'n gwbod be ddaru o ar ei bapur *eleven plus*?'

Tro Tecwyn oedd hi i edrych yn syn.

'Be?' gofynnodd.

‘Tynnu llun mochyn yn lle gneud sỳms.’ Ac allan ag Arthur yn credu ei fod wedi clenshio’r ddadl. Dilynodd Tecwyn toc heb wybod beth i’w gredu ond fod pobol yn medru bod yn rhyfedd; ac roedd o’n gwybod hynny ers blynyddoedd.

*

Aeth y gêm yn ei blaen yn llwyddiannus o safbwynt Bryncoch. George, ar ôl dechrau fel dafad golledig, yn sgorio dwy glincar o gôl. Yn sydyn derbyniodd bêl drwy’r canol gan Arwyn Plas, tarodd y bêl heibio rhif pedwar y Groes; hwnnw’n hanner ei faglu ond George yn cadw ei draed, yn rhoi taran o ergyd o ymyl y bocs a’r rhwyd yn crynu. Chwiban y dyfarnwr. Gorfoledd ar y cae ac ar y lein, lle’r oedd cwpan Arthur yn gorlifo.

Ond doedd hi ddim yn gôl. Roedd y dyfarnwr yn sefyll ar ymyl y cwrt cosbi yn arwyddo cic rydd i Fryncoch.

‘Bedi’r gêm, reff?’ George oedd y cyntaf i sylweddoli beth oedd yn digwydd.

‘Ro’n i wedi chwythu am y ffowl cyn y gôl, yn anffodus.’

‘An . . . ff . . . ffodus. Tŵ trŵ, mêt. Dw i ’di sgorio *perfectly legitimate* gôl, y cwdyn.’

‘Llai o’r araith ’na neu mi fydd raid i mi’ch bwcio chi.’

‘Gei di riportio fi i’r arch enjyl Gabriel os leci di,’ poerodd George gan ddangos adnabyddiaeth annisgwyl o’i Feibl.

‘Callia, George!’ Daeth llais Arthur o bell ond i ddim pwrpas.

Â wyneb George o fewn chwe modfedd i’r dyfarnwr fedrai hwnnw ddim peidio â sylwi.

'Ydach chi wedi bod yn yfed?'

'Be ydi o i ti, pal?'

'Fedra i ddim caniatáu i ddyn meddw fod ar y cae. Rydach chi'n berygl i chi eich hun ac i'r chwaraewyr eraill. Well i chi adael y cae, os gwelwch yn dda.'

'Dw i ddim yn mynd,' oedd unig ymateb y rhif naw i'r gwahoddiad. Ar yr eiliad honno penderfynodd y dyfarnwr wneud rhywbeth a oedd i gael canlyniad anffodus a dweud y lleiaf. Estynnodd law i annog George ar ei ffordd.

'Tyn dy facha oddi arna i.'

Roedd y dyfarnwr yn dechrau colli ei limpyn.

'O'r cae 'ma!'

'*Watch it*! Paid pwsho fi, reff!'

'Gwrandwch, dw i ddim yn mynd i . . . A!'

Chafodd neb wybod beth oedd y Parchedig Huw Davies ddim am ei ddweud gan i George Huws dolcio'i drwyn â'i dalcen nes ei fod fel lleden ar lawr.

'Wnes i warnio chdi, 'do?' meddai'r rhif naw, fel pe bai hynny'n esgus.

Brasgamodd Arthur ato i geisio rhwystro rhagor o alanas. Tu ôl iddo fo dilynai Wali.

'Mae'r gath wedi piso ar y pethma, y *matches*, go-iawn rŵan, 'do,' oedd sylw Wali.

'Cau hi, George! Y Penci. Dos i'r cwt o ffor' - ac aros yno!'

Roedd y dyfarnwr druan wedi llwyddo i godi erbyn hyn a gwaed yn diferu o'i drwyn ar y llyfr nodiadau yn ei law.

'Mr Picton,' meddai mewn llais tawel a oedd yn dangos nad ofer fu'r pori yn y Testament Newydd. 'Mewn pymtheg mlynedd o fod yn reffarî, weles i 'rioed ddyn mor feddw a haerllug ar gae pêl-droed.'

Roedd y sen ar ei feistr yn ormod i Wali.

'Dydi Mr Picton ddim wedi cyffwrdd dafn o ddiod.' Ac yna ychwanegodd, 'Erioed!'

'Cau hi, Wali,' oedd sylw diolchgar y meistr. 'Nid ataf fi roedd y Parchedig Davies yn cyfeirio,' a cheisiodd wenu drwy'i ddannedd.

'Ac mewn pum mlynedd ar hugain o'r weinidogaeth ches i mo'n siomi gymaint yn neb ag ynnoch chi, Mr Picton.'

Diflannodd y wên a methodd ddal.

'Does neb yn berffaith.'

'Be oedd enw'r gŵr ifanc?'

'Ann Griffiths,' cynigiodd Wali.

'Byddwch chi yn dawel.'

'George Huws.'

Nododd y dyfarnwr yr enw gan ychwanegu, 'A dydi ond yn deg i mi ddeud wrthach chi y bydda i'n rhoi adroddiad llawn i bwyllgor y cynghrair.'

Roedd hyn yn ormod i Arthur Picton.

'A dydi hi ond yn deg i finna ddeud y byddwn ninna'n eich riportio chi *for bringing the game into disrespect*, Mr Davies.'

'Cofiwch am y brycheuyn a'r trawst, Mr Picton.'

'Cofiwch chitha wraig Lot,' taniodd y rheolwr cyn troi ei gefn ar y dyfarnwr.

*

Rheolwr a thîm blin ddringodd i'r bŷs ddiwedd y prynhawn ar ôl colli o dair gôl i ddwy. Ac, wrth reswm, y reff oedd yn cael y bai, a phe na byddai wedi rhuthro i newid byddai'r dyfarnwr wedi colli ei bàs gan nad oedd neb am wneud dim â fo bellach.

''I anfon o i Birmingham sy isio,' meddai Wali.

'Sut?' gofynnodd Tecs.

'Peidio siarad efo fo, 'te.'

'Coventry ti'n feddwl, y lob,' meddai Arthur.

'O, ia; ro'n i'n gwbod 'i fod o yn y Midlands a bod 'na dîm ffwtbol yno.'

Er bod daearyddiaeth Wali'n wan, roedd ei sylw wedi rhoi syniad ym mhen Picton, syniad i ddrysu cynlluniau'r reff ac achosi embaras iddo, a hithau ar drothwy'r Sul. A dyna sut y bu i'r bŷs stopio y tu allan i'r *Cross Foxes* ar y ffordd adref, 'Er mwyn i'r hogia gael ymlacio,' yn ôl y rheolwr. Gadawyd y dyfarnwr yn y bŷs ar ei ben ei hun, fel pelican yn yr anialwch.

'Argol, welist ti wynab y reff?' Roedd Arthur wrth ei fodd.

'Fel ffidil,' chwarddodd Wali.

'Yehudi Menuhin, Wali,' ychwanegodd Tecs yn ei ffordd ddiwylliedig ei hun.

'Mae'n siŵr y bydda i erbyn un ar ddeg,' atebodd Wali gan feddwl mai cwestiwn oedd o.

Ar wahân i'r dyfarnwr, roedd un arall nad oedd yn gwerthfawrogi'r Cross Foxes, a George, yn rhyfedd iawn, oedd hwnnw. Roedd cwmni'r pnawn, y gêm a'r dolc wedi codi cur pen dychrynllyd arno fo a bu raid iddo adael y miri yn y Cross am awyr iach y maes parcio, a chwmni'r dyfarnwr. Fu'r dyfarnwr ddim yn hir yn Coventry ac o fewn pum munud roedd o'n cynnig cyngor i George.

Cyndyn oedd hwnnw i dderbyn y cyngor nes iddo ddeall bod y Parchedig Huw Davies wedi chwarae pêl-droed i Gymru, fel amatur. Roedd y blaenwr ifanc yn llawn edmygedd.

Ym mar y Cross hefyd, pêl-droed oedd testun y sgwrs, a gallu George yn benodol. Tecwyn yn dal allan bod gan yr hogyn botensial. Arthur o'r farn y b'asa fo wedi ei roi yn ei boced 'tasa fo'n chwarae yn ei erbyn gan ei fod o yn un o *centre halves* gorau ei gyfnod. Hyn heb arlliw o gywilydd. Mae'n rhaid bod Tecwyn yn edrych yn amheus, yn ôl ei arfer, achos daeth Wali i gefnogi ei feistr.

'Mi gafodd Mr Picton gap i Gymru, 'do Mr Picton? 1957 yn erbyn *England*, a mi gafoch chi gôl, 'do?'

'Dyna ti, washi; curo dau-un, os cofia i'n iawn.'

'Dwyt ti erioed wedi sôn am y peth o'r blaen,' meddai Tecwyn.

'Dydw i ddim yn un am fragio, nacdw Tecwyn?'

Ddwedodd Tecwyn ddim.

'Twt lol. Embarasio fi'n sôn am y peth. Dowch. Fi pia'r rownd.'

A chododd Arthur a mynd at y bar - digwyddiad anarferol ynddo'i hun. Trodd Tecwyn at Wali a'i holi.

'Wyt ti wedi gweld y cap 'ma rioed?'

'Na. Nath rhywun 'i ddwyn o o'i fag o ar y trên, medda Arthur.'

'Sut wyt ti'n gwbod 'i fod o wedi cael un 'ta?'

'Fo ddeudodd, pan oedd o'n trio cael y job manijyr. Roedd hi rhwng Dic Ty'n Pwll ac Arthur, a Dic oedd y ffefret nes i Arthur ddeud am y cap, a wedyn fo gafodd y job.'

Cododd Tecwyn ei lygaid tua'r nenfwd, ond cyn iddo gael cyfle i holi mwy daeth George yn ei ôl ac, yn gwmni iddo, roedd y dyfarnwr. Cyn pen fawr o dro roedd George yn brolio ei fod o wedi bod yn trafod pêl-droed efo *ex-international*.

Mae'n wir mai un cap oedd y gweinidog wedi ei gael, a hynny yn erbyn Lloegr yn Aberystwyth ym 1957, ond roedd o wedi sgorio dwy gôl. Roedd llygaid Wali fel soseri.

'Dyna'r gêm nathoch chi chwara ynddi, 'te Mr Picton?'

Daeth gwawr lwyd dros Arthur Picton, a bu distawrwydd llethol nes i Arthur ei adfeddiannu ei hun.

'Wel dw i'n ych cofio chi'n iawn, rŵan. Mi sgorioch ddwy gôl, 'do? Dyna fo. Ro'n i'n ama mai chi oedd o. Sut ydach chi stalwm?'

Ond doedd y darnau ddim yn disgyn yn daclus i'w lle i Tecwyn.

'Os ddaru Mr Davies sgorio dwy gôl ac mai dau-un oedd y sgôr - sut sgorist di felly, Arthur?'

'Be . . . ? A . . . wel . . . wnes i ddim deud mai fi oedd wedi sgorio . . .'

Doedd Picton ddim yn swnio'n siŵr o'i bethau, ond roedd Wali yn gwbl bendant.

'Do, Mr Picton. Glywis i chi hefo'n ll'gada fy hun.'

'Os ca i ddeud rhyw air yn fan'ma,' y Parchedig Davies oedd yn siarad. Trodd pawb yn glustiau i gyd. Doedd o ddim am embarasio Arthur, ond teg oedd hi i bawb gael gwybod y gwir.

'Fel hyn roedd hi, gyfeillion. Er mai fi sgoriodd y ddwy gôl dros Gymru roedd 'na un gôl arall yn y gêm, sef y gôl gafodd Lloegr. A phwy ydach chi'n meddwl sgoriodd honno?'

'Mr Picton?'

'Yn hollol, Wali. Yntê, Arthur?'

'M?' Roedd meddwl Arthur Picton yn bell, bell i ffwrdd, ond llwyddodd i wasgu ychydig o eiriau dros ei dafod.

'Ti'n gweld,Tecwyn, pan ddeudes i 'mod i wedi sgorio, wnes i ddim deud ym mha ben, naddo? Ha ha! Be gymrwch chi i'w yfad, Huw?' A throdd am y bar am yr eildro mewn pum munud.

Ond doedd y dyfarnwr ddim angen diod. Yn wir, roedd o ar dipyn o frys ac edrychodd yn awgrymog ar Arthur. O fewn deng munud roedd bŷs Bryncoch wedi ailgychwyn ar ei daith gyda rheolwr pur dawedog yn y blaen wrth ochr y dyfarnwr. Cyn cyrraedd Tai Pen Lôn trodd Arthur Picton yn ei ôl, ac wedi sicrhau nad oedd neb yn clustfeinio sibrydodd wrth y dyfarnwr,

'Y . . . diolch am fy achub i'n fan'na . . . hynny ydi . . . deud . . .'

'Celwydd, Mr Picton?'

'Ia . . . ym.' A bu distawrwydd nes i'r Parchedig Davies ofyn pam roedd Arthur wedi dewis yr union gêm honno yn Aberystwyth.

'Wel, digwydd bod, roedd 'na foi oedd yn gweithio efo fi lawr Sowth yn chwarae'r diwrnod hwnnw. Dic Nicholas oedd 'i enw fo - *inside right*. Siŵr eich bod chi'n 'i gofio fo?'

Bu saib fechan cyn i'r dyfarnwr ateb ei fod o'n rhyw led gofio. Sylwodd Arthur ddim. Roedd ei feddwl yn gwibio'n ôl dros y blynyddoedd.

'Do'n i ddim yno ond dw i'n cofio Dic yn deud fod mêt iddo fo o Lanelli wedi sgorio . . .' Trodd Arthur Picton ei ddau lygad ar y Parchedig Huw Davies. '*Hold on.* Mi ddeudoch chi mai chi sgoriodd . . . '

'A! Ie, wel . . . doedd hynny ddim yn hollol wir.'

'Ond mi roeddach chi'n chwara?'

'Ddim cweit. Leinsman oeddwn i, a deud y gwir.'

'Deud y gwir? Peidiwch chi â sôn am y gwir wrtha i.'

Roedd Arthur ar fin ffrwydro. Ond doedd y gweinidog ddim wedi gorffen.

'Deud er mwyn George wnes i. Roedd o'n amlwg yn edmygu chwaraewyr rhyngwladol a, wel, rhyw gelwydd diniwed oedd o, wedi'r cwbwl.'

'A gneud ffŵl ohona i 'run pryd. Dw i jest â stopio'r bŷs a deud wrth bawb mai rôg a thwyllwr ydach chi.'

'Fyddai hynny'n beth doeth, Mr Picton? Wedi'r cwbwl, mae'r ddau ohonan ni yn yr un cwch, tydan?'

'Ac yn yr un bŷs, Mr Davies. Mae arnoch chi ffafr i mi.'

'Mi dala i.'

'Na. Dw i ddim angen eich pres chi. Y *send-off* pnawn 'ma. Fedra i ddim fforddio colli George o'r tîm.'

'Ond Mr Picton, mi fydd raid i mi 'i riportio fo. Sut fedra i esbonio i'r *referees' association*?'

'Trwy ddirgel ffyrdd, Mr Davies. Emyn 58 yn y Caniedydd.'

A gyda'r dyfyniad hwnnw'n canu yn ei glustiau, camodd y Parchedig Huw Davies i'r tywyllwch sy'n disgwyl pob dyfarnwr, a theithiodd Arthur Picton adref yn teimlo ei fod wedi cael un fuddugoliaeth fechan ar ôl diwrnod o aml siom.

TRA BO DAU

Beth sy'n peri i ddyn roi'r gorau i arferion oes a dilyn llwybr newydd sbon? Cwestiwn tebyg i'r un enwog, 'Pam mae eira'n wyn?' nad oes ateb iddo'r ochr hon i'r llen. Ond dyna'r union gwestiwn a ddaeth fel huddug i botes i flino tîm pêl-droed Bryncoch. Ac fel hyn y bu.

Pwyllgor cyffredin yn y neuadd. Y drindod ansanctaidd yn bresennol, Arthur, Tecwyn a Wali. Dim byd anarferol, dim ond bod Wali yn gwisgo'i anorác lwyd olau yn hytrach na'r un werdd, a'i fod o ar bigau'r drain ers meityn. Fel roedd y cadeirydd yn gorffen rhestru'r tîm at y Sadwrn torrodd Wali ar ei draws.

'Fyswn i'n cael deud . . .'

Ond chafodd o ddim. Aeth Arthur yn ei flaen. 'Rŵan, y mater arall . . .'

'Ga i ddeud . . .'

Roedd Wali'n benderfynol. Ond doedd Arthur ddim yn gwrando. 'Y rhwydi, mae'n gywilyddus fod y rhwydi fel ag y maen nhw.'

'Arthur!' gwaeddodd Tecwyn.

'Be sy rŵan, Tecwyn?'

'Wali . . . mae o isio deud rwbath.'

'Mae gynno fo dafod, 'toes, fatha pawb arall.' A gan droi at Wali ychwanegodd yn orgaredig, 'Be sy, Wali?'

'Wel . . . dw i ddim yn siŵr sut i ddeud hyn . . .'

'Nag wyt, mwn.' Anaml y byddai Arthur yn colli cyfle i gadw aelodau'r pwyllgor yn eu lle.

Gwthiodd Wali ei ên allan, a sythodd yn ei gadair cyn mentro.

'Na, gwrandwch, jyst isio deud 'mod i'n methu aros heno, a 'mod i'n methu dwad o gwbwl i'r gêm dydd Sadwrn!'

'Iawn.' Roedd Arthur yn dal i beidio gwrando. 'Fel ro'n i'n deud . . .' ond stopiodd ar ganol brawddeg. Yna trodd yn ôl at ei lumanwr fel pe bai'n amau ei hun. 'Be ddudist ti?'

'Be ddudis i be?'

Caeodd Tecs ei lygaid wrth feddwl am bosibiliadau'r sgwrs rhwng y ddau.

'Am ddydd Sadwrn. Be ddudist ti?'

'O, ia. Deud 'mod i'n methu dod i'r gêm.'

Edrychodd Arthur draw at Tecwyn yn ei benbleth, ac yna yn ôl at Wali a oedd yn syllu'n herfeiddiol fel dyn yn disgwyl daeargryn. Gwenodd Arthur yn fygythiol.

'Paid â siarad yn wirion. Ti ddim wedi colli gêm ers . . . ers . . . ugian mlynedd. Pwy sy'n mynd i redag y lein? Pwy fydd y doctor dŵr? Pwy sy'n mynd i gasglu'r crysa?'

'Ia,' ychwanegodd Tecwyn, 'a phwy wyt ti'n mynd i gael i'w regi, 'te, Arthur?'

'Yn hollol . . . *Watch it!*'

Roedd murmur cynta'r ddaeargryn yn cychwyn.

'Dwi'n mynd i siopa!' Syllodd Wali ar y bwrdd.

Rhoddodd Arthur ebychiad mawr i ddangos ei farn ar y gosodiad, ond roedd Wali fel mul.

'Mae gin i hawl, 'toes. Nid chi bia fi.'

'Gwranda washi . . . !'

'Rŵan, rŵan.' Daeth Tecwyn i'r adwy. 'Does dim isio ffraeo ar fater bach fel hyn.'

'Nid mater bach ydi o, Tecwyn.'

'Chwarae teg, Arthur . . .'

Ond chafodd o ddim gorffen gan fod Wali ar ei draed ac yn camu am y drws. 'Mae raid i mi fynd. Nos da.'

'Nos da, Jiwdas!' bloeddiodd Arthur wrth i'r drws gau'n glep ar ei ôl. 'Bradwr! Rŵan, Tecwyn, dyma gyfla i ni gael sgwrs gall am unwaith . . .'

Ond cyn iddo fo orffen y frawddeg roedd Tecwyn ar ei draed.

'Ddrwg gen i Arthur, ond mae'n rhaid i minna fynd hefyd. Wedi gaddo . . .'

'Ond dydw i ddim wedi dechra eto!'

'Setla'r mater dy hun. Beth bynnag benderfyni di mi fydda i gant-y-cant y tu ôl i ti,' a chamodd Tecwyn yntau am y drws. Taflodd Arthur un enllib olaf ar ei ôl.

'Ia, tu ôl. Jyst y lle i ti. Diolch yn fawr iawn i chi'ch dau. Rydach chi'n gefn mawr i rywun. Gofia i am hyn. O gwnaf.' Ond erbyn hynny doedd neb yn gwrando. Fel arfer.

*

Y noson yn dilyn y pwyllgor daeth George i Fryncoch i weld Sandra. A thra oedd yn disgwyl i Sandra orffen ei shifft gynnar y tu ôl i'r bar yn y Bull aeth George i chwarae darts efo'r hogiau. Roedd George yn dipyn o giamstar ar ddartiau ac wedi betio peint y gêm; roedd ganddo dri yn y banc mewn dim o dro. Croesi i nôl un ohonyn nhw oedd o pan benderfynodd Sandra bod peryg mawr i'w noson nhw droi'n flêr.

'Wyt ti'n sylweddoli,' meddai wrth George gan gymryd ei wydr, 'bob tro wyt ti'n yfad peint o gwrw bod miloedd o gelloedd yn d'ymennydd di'n cael 'u lladd?'

Ystyriodd George y ffaith anhygoel hon.

'Y?'

'Miloedd o gelloedd yn fan'ma,' gan bwyntio at ei phen, 'yn cael 'u chwalu.'

'Paid â palu nhw, Sand.' Gwelodd George bod i'r awgrym oblygiadau pellgyrhaeddol.

'Ffaith i ti. Gwenwyn ydi alcohol, 'te?'

'Fflipin 'ec. Faint o'r . . . y celloedds 'ma sy yn dy fenyn di, 'ta?'

'Mae'n dibynnu tydi . . . mae gin rhai lot fawr, a rhai - heb enwi neb, George - dipyn llai.'

Os mai bwriad Sandra oedd curo'r post i'r pared glywed chafodd hi ddim llwyddiant. Roedd George yn dwys ystyried y newyddion.

'Mae hynna'n blydi *unfair*, chwara teg. Meddylia, mae boi clyfar fatha fi yn medru meddwi'n gachu bants a deffro yn y bora'n *brainy* 'run fath, achos bod gynno fo digon o'r *cells* 'ma ar ôl, tra mae rhywun fel Wali - wel, fedra fo redag allan o *cells,* 'run fath â car yn rhedag allan o petrol - ar ôl jyst un noson hegar . . . fel 'na. Pff!'

A chleciodd ei fysedd i ddangos breuder y meddwl dynol. Ar yr union eiliad cerddodd gwrthrych yr athronyddu drwy'r drws.

'Pwy sy wedi cael noson hegar, George?'

'A! Wal!' Trodd George ato mewn braw. Sylwodd Sandra ar yr embaras.

'Fath ag arfar, ia Wali? Licio dy wallt di. Pwy dorrodd o i ti?'

Aeth Wali'n swil i gyd.

'Y . . . hy, hy. *Cut* Price!' mwmiodd wrth y soser lwch ar y bar.

'Edrych yn debyg hefyd, Wal.' Roedd George wedi adfeddiannu ei hun.

'George! O, siop Ernie Price. Del iawn,' meddai Sandra. 'A be'di'r tei crand 'na? *Oxford* 'ta *Cambridge*?'

'*British Legion*!' Roedd Wali'n mwynhau ei hun ac yn swil i gyd ar unwaith.

Edrychodd George yn fanwl ar Wali. 'Gwallt, *brylcreem*, tei . . . be sy, Wal? Ffansi ledi ne rwbath?'

Edrychodd Wali fel dyn wedi cael sioc.

'Hy, hy . . . wel fel mae'n digwydd . . .' dechreuodd, ond torrodd Sandra ar draws.

'George, paid â phryfocio.'

Ond roedd Wali'n awyddus i ateb.

'Na, wel . . .' ond roedd Sandra'n nabod George a Wali'n rhy dda i adael i'r tymentio gario 'mlaen.

'Paid â gwrando arno fo, Wali. Dos i hel y gwydra 'na, George!' Ac i ffwrdd â George. Trodd Sandra i syrfio cwsmer arall gan adael Wali'n edrych fel cenhadwr newydd golli ei gynulleidfa.

⋆

Daeth prynhawn Sadwrn â golygfa ryfedd iawn i Gae Tudor. Roedd dau dîm yn barod i chwarae, dyfarnwr, pêl, dau reolwr ond dim Wali. Cadwodd at ei air. Roedd yr awyrgylch yn ddigon rhyfedd yn y cwt cyn y gêm. Pawb yn teimlo'n chwithig er bod Arthur yn laddar o chwys ac yn bytheirio fel dyn stondin ffair wrth geisio gwneud pob dim.

Eisteddodd am seibiant a'i wyneb yn fflamgoch. Gwyrodd Tecwyn ato.

'Mae'n rhyfadd heb Wali.'

'Wel ydi, mae'n debyg. Ond mi ga i amser i astudio patrwm y gêm heb gael fy nrysu gynno fo heddiw. Argol mae o'n mwydro. Sgen ti ddim syniad Tecwyn bach. Wst ti be . . . a dydw i ddim wedi cyfadda hyn wrth neb o'r blaen . . . ond rŵan ac yn y man, pan fydd Wali'n mynd trwy'i betha, mi fydd 'na awydd angerddol yn dod drosta i i ymollwng a beichio crio. Ti'n dallt be sgin i?'

Amneidiodd Tecwyn ac atebodd, 'Sdim raid i ti. Does dim angen tosturi ar Wali, 'sti.'

'Nac oes, dwi'n gwbod, ond mae angen tosturio wrtha i, 'toes!'

Mewn chwarter awr roedd bwrlwm y gêm wedi gwthio Wali o feddwl pawb, ac roedd Arthur yn ei waith yn rhedeg y lein, yn annog ei dîm, yn rhuthro i ymgeleddu'r cloffion ac yn damnio'r reff heb fawr o effaith weladwy ar neb na dim. Doedd tîm Garreg Wen ddim yn dda, ond roedden nhw'n well na Bryncoch, a cholli o ddwy gôl i ddim fu hanes y tîm cartref.

'Wel am smonach!' Prin fod gan Arthur Picton ddigon o anadl i fynegi ei siom. 'Arclwy Mawr! Sut gollon ni honna?' Cwestiwn rhethregol iddo fo'i hun oedd o, ond gan fod George yn digwydd pasio cynigiodd hwnnw ateb.

'Wel, Affyr, dwi'n meddwl 'u bod nhw wedi sgorio mwy na ni!'

Edrychodd Arthur yn filain arno ond gwelodd Tecwyn yn sleifio o'r tu ôl.

'Tecwyn! Tecwyn! Tyd yma.'

Wrth reswm ysgydwodd hwnnw ei ben mewn anneall, ac yn ei ffordd hamddenol ei hun dywedodd, 'Dwn i ddim sut collon ni honna, Arthur.'

'Mae George yn meddwl 'u bod nhw wedi sgorio mwy o gôls na ni,' oedd sylw dychanol y rheolwr.

'Ydi o . . . ? O, ia. Da iawn.'

Caeodd llygaid y rheolwr a cherddodd i ffwrdd gan adael Tecwyn i drefnu i rywun dynnu'r rhwydi a hel y pyst cornel. Na, doedd hi ddim wedi bod yn brynhawn i'w gofio ar Gae Tudor.

★

Ym Mhorthmadog, y prynhawn hwnnw, roedd Sandra Picton wedi bod wrthi'n prynu anrheg pen-blwydd i George, ac yn siopa ar gyfer y Sul. Roedd hi ar fin croesi'r ffordd i ddal y bŷs adref pan welodd Wali yn dod allan o'r Milk Bar. Clywsai gan ei thad am frad y llumanwr ond doedd hi ddim wedi cael cyfle i drafod y penderfyniad annisgwyl efo Wali ei hun hyd yn hyn. Camodd ymlaen gan godi ei llaw arno.

Yna stopiodd yn stond a'r 'Iw-hw, Wa-li!' wedi rhewi'n ei gwddf. Syllodd yn syn. Roedd dynes, gwraig tua'r deugain oed, ei gwallt yn ddu ac wedi ei gwisgo'n ffasiynol liwgar wedi rhoi ei braich am un Wali. Roedd yntau'n gwenu fel giât yn ôl arni. Cerddodd y ddau i ffwrdd i gyfeiriad gorsaf y lein bach; Wali'n traethu pymtheg y dwsin a hithau i'w gweld yn ymateb yn hwyliog. Meddyliodd Sandra am eiliad. Roedd hi wedi ei synnu, oedd. Yn wir, a bod yn gwbl onest, roedd hi wedi ei syfrdanu ond, chwarae teg iddo fo, ie wir, da iawn, Wali. A chamodd at y bŷs â gwên yn lledu dros ei hwyneb.

Yn y Bull y noson honno, galwodd Sandra ar Harri a George draw i adrodd yr hanes a'u siarsio i beidio dweud wrth neb.

'Dyw, pwy se'n meddwl, 'te wa?' oedd ymateb Harri. Brodor o Sir Feirionnydd oedd Harri, a dyna'i ymateb i bob newydd.

'Wel, waeth i mi gyfadda, mi ge's inna dipyn o sioc fy hun. Fuodd ond y dim i mi â llewygu yn y fan a'r lle,' meddai Sandra wrth estyn peint i George.

'Creici!' Ysgydwodd George ei ben mewn penbleth. 'Wali â dynas; tydi'r peth ddim yn . . . ddim yn . . . natshyral, nacdi? Tyd â rôl i fi, Sand. Dw inna jyst â llwgu 'fyd.' Edrychodd ar Harri. 'Tasa Sand yn deud wrtha i 'i bod hi wedi gweld Wali'n reidio mul dros y Cob yn 'i drons, fyswn i ddim yn meddwl bod hynna'n rhyfadd o gwbwl. Ond mae meddwl amdano fo hefo dynas yn boglo'r ymenyn.'

'Ymennydd, George,' cywirodd Sandra.

'Ia, a hwnnw.'

Ar y gair cerddodd gwrthrych y rhyfeddu drwy'r drws ar ei ben ei hun. Rhoddodd Sandra hergwd i George.

'Dim gair, George. Dallt?'

'Noswaith dda!' Gwenodd Wali ar bawb. Daeth ebychiadau annealladwy o gegau'r cwsmeriaid agosaf.

'Be ddaru chi heddiw?' holodd Wali.

'Colli.'

'Sgorist ti, George?'

'Naddo - wnest ti?'

'George!' sibrydodd Sandra drwy'i dannedd.

'Wps! Sori. Be o'n i'n feddwl oedd . . . y . . . ydi hi'n beth handi, Wal?'

'George!'

Syllodd Wali ar George yn hir, ac yna'n gwbl hunan feddiannol gofynnodd, 'Am Gwen wyt ti'n siarad?'

Penderfynodd Sandra na ellid dibynnu ar George mewn sefyllfa mor ddélicet.

'Y fi ddudodd, Wali. Mae'n ddrwg gen i. Welis i chi pnawn 'ma!'

Hanner awr yn ddiweddarach roedd y gath o'r cwd a hanes cyfarfyddiad Wali a Gwen yn rhan o chwedloniaeth Bryncoch. Wedi galw yn y tŷ roedd Gwen i werthu dillad catalog. Roedd Lydia Thomas allan ar y pryd a hithau wedi mentro i'r tŷ i ddangos sampl neu ddau. Dangosodd goban nos i Wali oedd yn ddigon i stemio'i sbectol.

'Dwi'n siŵr y bydde Mrs Thomas yn edrych yn ddel iawn mewn un fel hon.'

Roedd Wali'n edrych yn ansicr.

'Dwn i ddim. Sgynnoch chi un fedrwch chi ddim gweld trwyddi?'

'Dydi'ch gwraig chi ddim yn swil, Mr Thomas?'

'Does gen i 'run wraig. Mam ydi Mrs Thomas,' rhuthrodd Wali i gywiro'r camargraff.

Wrth weld yr embaras gwenodd Gwen ac mewn llais melfedaidd, llawn cydymdeimlad dywedodd, 'Wel, mi fyddwch chi'n siŵr o wneud rhyw ferch yn hapus ryw ddiwrnod, Mr Thomas.'

'O . . . sut?'

Chwarddodd Gwen. 'O, rydych chi'n gês. Trwy'i phriodi

hi, siŵr. Peidiwch â thynnu 'nghoes i. Ha! Ha!'

I Wali roedd ei llais fel tincial clychau ar sled Siôn Corn, a'i llygaid yn disgleirio fel sêr y llwybr llaethog yn adlewyrchu mewn ffynnon ddu ddofn. Roedd rhyw deimlad od ym mhwll ei stumog, roedd ei goesau fel jeli - ac roedd hi'n dweud rhywbeth wrtho.

' . . . cadw merched hyd braich wedi bod yn dipyn o dasg i chi ar hyd y blynyddoedd, Mr Thomas.'

Roedd Wali mewn perlewyg, fel cwningen yn wynebu wenci.

'Na, na!' Clywodd ei lais ei hun yn dod o bell. 'Ches i rioed draffarth felly,' a gwenodd am ddim rheswm yn y byd, ond am ei fod o'n hapus; yn hapusach na fuodd o erioed yn ei fywyd. Yn hapusach na phan gurodd Bryncoch Llanelian yn semi ffeinal y Ronson Cup.

'Galwch fi'n . . . Walter,' daeth y llais eto o rywle.

'Walter . . . Walter . . . dyna enw tlws. Na nid tlws, enw cadarn, ac eto enw addfwyn . . . fel chi eich hun. Fedra i ddeud.'

Pe bai Wali'n meddu ar lais, a phe bai'n gwybod yr alaw a'r geiriau, mae'n bosib y byddai wedi torri allan i ganu *O Sole mio* dan deimlad y foment. Ond roedd rhaid iddo fodloni ar wneud llygaid llo ar Gwen a gwenu hynny fedrai ei wyneb ei ddal.

'O, mi fedra i ddeud eich bod chi'n ddyn tyner, annwyl, Walter . . .' roedd Gwen yn mynd i drafferth mawr os mai gwerthu dillad oedd ei nod. 'A mae cymaint o bobol ddrwg yn y byd 'ma, 'ntoes?'

'Oes,' cytunodd Wali'n awchus.

'Ddoe ddiwetha mi ofynnodd un llabwst seimllyd fyswn

i'n gwisgo un o'r cobanau 'ma er mwyn iddo fo gael ei gweld hi'n iawn. Meddyliwch am y peth!'

'Wna i. Pa un oedd hi?'

Cododd Gwen goban denau, ddu, sidanaidd o'r cês.

'Rargol, fysa hwnna byth yn ffitio dros ych dillad chi,' protestiodd Wali.

'O, Walter! Roedd o am i mi dynnu 'nillad!'

'Nagoedd!' Saethodd ias o gryndod trwy gorff Wali wrth ddychmygu'r goban a Gwen a . . .

'Mi fedra i ddeud na fysech chi byth yn gofyn peth mor bowld.'

'Byth! Byth! Ych â fi!' Roedd y syniad yn rhy ffiaidd i Wali ei ystyried. Ond ychwanegodd, rhag ofn, 'Oni bai ych bod chi'n mynnu 'te!'

'Walter! Ha! Ha!' a chwarddodd Gwen mewn ffordd na chlywsai Wali neb yn chwerthin cynt nac ar ôl hynny.

Werthodd Gwen ddim dilledyn y diwrnod hwnnw ond cafodd Wali rif ffôn i gysylltu â hi er mwyn prynu rhywbeth i'w fam yn ddiweddarach. A dyna oedd dechrau'r daith.

★

Yn hwyrach y noson honno yng nghornel y Bull penderfynodd George ei bod hi'n bryd iddo gael gair brawdol gyda Wali, gan ei fod o wedi mentro i fyd newydd serch a chariad.

'Gwranda, Wal. Mae gen i dipyn o ecspiriyns o'r peth . . . y cariad 'ma. Mwy hwyrach na ti. Ac mae raid i ti wybod sut i'w handlo fo i gael y *full benefit*. O.K.?'

Closiodd Wali gan edrych yn ddifrifol ar George.

'Dw i'n glustiau i gyd, George.'

'Wyt, dw i'n gwybod. Ond does dim ots am hynny. Meddylia am Clark Gable.'

'Padyn?'

'Hidia befo. Y peth pwysig ydi penderfynu os mai hwn ydi'r peth go-iawn, ynta ydi o'n *case* o "fyswn i ddim yn 'i chicio hi allan o'r gwely".'

'Argol! Dydan ni ddim wedi cyrraedd fan'no siŵr, George.'

Roedd hi'n amlwg fod George wedi camu'n rhy fras.

'Ia, olreit, Wal. Cŵl hed. Cariad - *love* - sut wyt ti'n gwybod mai dyna ydi o?'

Ystyriodd Wali'r cwestiwn yn ofalus fel dyn yn astudio bom.

'Wel . . . tyd â chliw i mi.'

Amneidiodd George fel un yn cario cyfrinach y bydysawd.

'Fel hyn mae hi. Mae bod *in* cariad yr un fath â ti'n teimlo ar ôl i ti gael peint o gwrw. A mae hynna'n efengyls i ti, Wal. Dallt?'

'Nacdw.'

Aeth George ati i fanylu.

'Ar ôl tri peint mae'r byd i gyd yn hapus a llon, tydi? Mae'r *barmaid* fel Joan Walley, ti'n hitio *double tops* dim problem, a mae jôcs yn llifo allan ohonat ti fel Ben Elton ar spîd, a ti'n pwyso ar y bar yn meddwl mai ti ydi Clint Eastwood. Iawn? Wel, peth fel'na ydi cariad ond ei fod o'n para'n hirach.'

Doedd Wali ddim fel pe bai wedi ei argyhoeddi'n llwyr gan yr esboniad.

'Ond dwyt ti ddim yn stopio ar ôl tri, George. Ti'n yfad mwy, lot mwy, a deffro bora wedyn hefo homar o benmaenmawr. Ydi hwnnw fel cariad hefyd?'

Roedd ymateb annisgwyl Wali wedi dychryn rywfaint ar George.

'Wel . . . dw i ddim yn gwbod hynny, Wal, nacdw. A siarad fel bwrdd - bardd, *poet* - newydd ddechrau'r trydydd peint ydw i. Well i ti ofyn i Affyr. Mae hwnnw ar y siorts ers meityn. Ha! Ha!' Cododd o'i sedd cyn i Wali gael cyfle i chwalu ei ddamcaniaeth yn llwyr, gan adael y llumanwr i ystyried y cwbl a glywsai.

★

Y nos Fercher ganlynol roedd gan Fryncoch gêm gwpan gartre ond doedd Wali ddim yno, a doedd fawr o lewyrch ar bethau. Y cae heb ei farcio na'i garthu. Dim dŵr poeth i ymolchi, a gwaeth byth - dim siâp ar chwarae'r tîm er gwaethaf holl weiddi Arthur Picton.

'Lle'r oeddach chi, midffîld?' bloeddiodd Arthur wrth i'r drydedd gôl fynd heibio Tecwyn. 'A difféns, be gythral ydach chi'n neud? Asiffeta! Fysa dy nain wedi taclo hwnna, Harri!' Sylw di-chwaeth a chelwyddog gan fod nain Harri yn ei bedd ers blynyddoedd.

Roedd y distawrwydd yn y cwt ar ôl y gêm yn arwydd bod pethau'n go ddrwg ar dîm Arthur Picton.

Diflannodd Arthur ar ôl y gêm wedi i reolwr Llanedwen weiddi arno wrth basio, 'Tîm cachu gin ti 'leni eto, Picton!' Methodd Arthur â meddwl am ateb iddo. Wedi'r cwbl roedd tystiolaeth gref o blaid cywirdeb y sylw. Roedd y cwt yn graddol wagio a Tecwyn, fel arfer, yr olaf i orffen newid. Ond yn wahanol i'r arfer roedd George wedi aros ac wrthi'n casglu'r crysau a'r sanau budron. Pan gafodd gefn yr olaf o'r chwaraewyr peidiodd George â chasglu. Eisteddodd ar y bocs yng nghanol y llawr a chicio'i sodlau ac edrych yn ddwys.

'Be sy?' holodd Tecs. Chafodd o ddim ateb am rai eiliadau. 'George . . . be sy matar?'

'Sbia,' tynnodd George dudalen o bapur newydd o boced ei siaced. Tudalen o'r *Evening Leader* oedd hi ac estynnodd hi i Tecwyn. 'Fues i yn Wrecsam ddoe a prynu hwnna. A heno cyn dod allan dyma Mam yn darllen y stori yn gwaelod fanna . . . dw i 'di farcio fo.'

Darllenodd Tecwyn. Stori oedd hi am hen lanc o ardal Coedpoeth oedd wedi colli ei gyfoeth i gyd wedi i'w gariad redeg i ffwrdd â'r pres. Roedd y ddau wedi cyfarfod wedi iddi hi alw yn y tŷ yn gwerthu dillad o gatalog. Cododd Tecwyn ei ben ac edrych ar George. Cododd hwnnw ei aeliau i ddangos fod eu meddyliau yn cyd-symud. Ar waelod y dudalen roedd 'na lun, llun gwneud o'r wraig gan artist yn dilyn disgrifiad yr hen lanc a gawsai ei flingo.

'Wyt ti wedi'i gweld hi, Tecs?'

'Nacdw, ond dw i'n credu y basa'n well i ni neud, rhag ofn.'

Yn ddiweddarach yn y Bull cafwyd seiat. Roedd Sandra'n teimlo fod y llun yn ddigon tebyg iddyn nhw ofni'r gwaethaf. Ond roedd rhaid cael rhyw gadarnhad. Penderfynwyd gadael y cyfan yn nwylo Sandra am y tro. Trefnodd hithau ryw esgus i gyfarfod Wali drannoeth, ond roedd hwnnw'n mynnu mai yn ei chartref hi, Llys Orwig, y dylent gyfarfod, heb esbonio pam.

Pan agorodd y drws iddo cafodd Sandra gryn sioc. Roedd y Wali a safai o'i blaen yn wahanol iawn i'r Wali roedd hi'n ei nabod. Dim *beret*, gwallt wedi ei dorri'n daclus, yr ên wedi ei heillio'n lân, côt ysgafn saffari amdano, a throwsus rib llwyd a thei yn cydweddu â'r crys.

'Dyna be mae dynas yn medru wneud i ddyn,' oedd sylw balch Wali wrth gamu i'r parlwr gan esbonio bod Gwen ac yntau wedi bod yn Llandudno i siopa a'i bod hithau wedi prynu rhyw ddilledyn neu ddau go neis. 'Rydan ni'n hapus iawn, 'sti, Sandra.'

'Ydach siŵr, Wali.' Doedd ganddi ddim stumog i ofyn pwy dalodd am y dillad. Roedd hi'n ofni'r ateb.

'Wyt ti'n meddwl ei bod hi'n rhy fuan i mi ofyn i Gwen bigejo hefo fi?' gofynnodd Wali'n sydyn.

'Wel, ti ŵyr, Wali bach. Faint sy ers i chi gyfarfod, dwed?'

'Pythefnos - a diwrnod. A dw i'n hapus fel y gog. Sbia, mi dynnon ni'n llun ar y prom,' a dangosodd ffotograff i Sandra. Roedd Gwen wedi bod yn gwneud ei gwallt mae'n amlwg ac roedd y steil yn hynod o debyg i'r llun arall a welsai Sandra gan Tecs.

'Ydi dy fam yn gwybod am Gwen, Wali?' holodd Sandra.

'Argol nacdi, ond mae hi'n f'ama i, achos 'mod i'n cael bath bob nos ac yn siafio a ballu. Be fydda i'n ei neud rŵan ydi newid fy nillad yn nhŷ Harri a phan fydda i'n mynd adra min nos, mi fydda i'n cymryd joch o wisgi yn cefn a dechra canu *She'll be coming round the mountain* . . . cyn camu i'r tŷ. Mae hynny'n ddigon i yrru Mam i'w gwely'n *disgusted*. A mae hynny'n siwtio'r ddau ohonan ni.'

'Dydi Gwen ddim isio cyfarfod dy fam felly, Wali?'

'Dyw, nacdi. Tydi hi ddim am droi'r drol, medda hi. Mae hi . . . wel, rydan ni, am brynu car bach, a wedyn mi ga i ddysgu dreifio a mynd i ffwrdd i ble mynnon ni. Braf 'te Sandra?'

'Ia, braf iawn, Wali.'

Ond nid dyna'n union oedd ym meddwl Sandra chwaith, ac nid dyna ddywedodd hi wrth Tecwyn yn hwyrach y noson honno.

'Fedrwn ni ddim deud wrtho fo amdani hi. Mi dorrith 'i galon, Tecs.'

'Ond mi fydd raid i ni neud rywbath, bydd?'

A rhwng y ddau cafwyd cynllwyn; cynllwyn mentrus i geisio achub gwybedyn o we y cafodd ei hudo i'w chanol.

⋆

Y prynhawn Sadwrn canlynol roedd Tecwyn yn gyrru Arthur yn ôl i Fryncoch yn dilyn perfformiad a oedd, hyd yn oed yn ôl safonau Bryncoch, yn un cythreulig o wael. Roedd y goli ei hun wedi cyfrannu at y diflastod trwy ddisgyn yn ôl i'r rhwyd a'r bêl yn ei ddwylo.

'Welis i erioed y fath beth, Tecwyn. Ti'n galw dy hun yn goli. Py-hy! Tair gêm. Gôls *for*: un - a honno'n ffliwc! *Against: ten. Points*: dim. Sgin ti'm cwilydd?'

Anwybyddodd Tecwyn y cwestiwn a chanolbwyntio ar y gyrru.

'Digon teg, Arthur. Ond fel y dudodd Pontshân . . .'

'Pwy?'

'Pont . . . Hidia befo. Y boi 'ma ddeudodd - os wyt ti

mewn twll, tria ddod mâs - allan - ohono fo.'

Ebychodd Arthur yn sarhaus.

'O, dyna ddudodd o. Clyfar iawn.'

'Wel, mae raid i ni neud rwbath, 'toes Arthur? Waeth inni heb â gwylltio. Wyt ti wedi sylwi ar rywbath sy'n gyffredin i'r tair gêm? Rhyw un peth y medri di roi dy fys arno fo?'

'Do. Mae gynnon ni gythral o dîm sâl.'

Doedd gan Arthur ddim amynedd efo rhyw siarad ffansi, dadansoddol fel hyn. Ond doedd Tecwyn ddim am ildio mor hawdd.

'Ia. Wrth gwrs. Ond mae un peth arall yn gyffredin i'r tair gêm, 'toes?'

'Oes?' Roedd Arthur wedi cau ei lygaid.

'Wel. Mi ddechreuodd y rhediad gwael 'ma pan beidiodd Wali â dod i'r gêms.'

'Wali?' Roedd y cysylltiad yn rhy chwerthinllyd i Arthur ei ystyried. 'Beth sy a wnelo Wali â'r peth?'

Tynnodd Tecwyn anadl ddofn, a gan bwyso a mesur ei eiriau'n ofalus cychwynnodd;

'Mae Wali'n bwysig i'r tîm, 'sti. Hebddo fo, does 'na ddim hwyl - dim ysbryd. Ti'n dallt be sgin i? A waeth i ti gael gwbod ddim - dwyt ti'm hanner y manijar heb Wali. Fatha tsips heb y finag, rywsut.'

Ciledrychodd Tecwyn draw ar ei reolwr. Roedd llygaid hwnnw ar agor erbyn hyn ond doedd o'n gweld dim. Roedd o'n meddwl.

'Na,' mentrodd y goli yn ei flaen, 'fel y dudist ti, seicolojics sy'n bwysig yn y gêm yma, a mae Wali'n rhan o'r seicolojics hwnnw. Mae'n rhaid i ni berswadio'r ddynas 'na i ollwng Wali'n rhydd . . . ond mae angen rhywun go glyfar a phenderfynol i neud hynny. Nid ar chwarae bach.'

Ni fu fawr o sgwrsio yn y car ar y daith yn ôl i Fryncoch wedi'r araith hon gan Tecwyn, ond pan gyrhaeddodd Arthur ei gartref cerddodd yn syth i'w gar a'i anelu am y dref. Yn ei boced roedd darn o bapur a chyfeiriad wedi ei ysgrifennu arno gan Tecwyn. O fewn ugain munud roedd Arthur Picton yn sefyll o flaen drws rhif 17 yn Sgwâr Pen Mount yn amau doethineb yr ymweliad ac yn ceisio magu digon o blwc. Canodd y gloch. Agorwyd y drws a gwenodd Arthur ar y wraig ddel a safai o'i flaen mewn cot wisgo o sidan coch.

'Noswaith dda,' gwenodd Arthur gan deimlo'i wyneb yn troi'r un lliw â'r got wisgo.

'Arthur . . . y Thomas Arthur ydi'r enw, dw i yma ar fater go ddélicet.'

Edrychodd y wraig ar y car a barciodd Arthur y tu allan i'r tŷ a'i wahodd i mewn, ond cyn camu dros y rhiniog sibrydodd Arthur, 'Dydi Wali . . . Walter Thomas ddim yma, nacdi?'

Trodd y wraig i'w wynebu gan edrych i fyw ei lygaid. Ysgydwodd ei phen yn nacaol a cherddodd o'i flaen. Llyncodd Arthur ei boer. Teimlai'r chwys yn llifo i lawr ei gefn a damiodd y dydd y cyfarfu â Wali Thomas.

'Gwen ydw i, Gwen Thomas, ond rydach chi'n gwbod hynny mae'n siŵr.'

Roedden nhw bellach mewn fflat fechan, daclus. Llyncodd Arthur ei boer eto ac anadlodd yn ddwfn. Mewn llais cryf dechreuodd, 'Ydw . . . ia, wel, yn blwmp ac yn blaen, a dyn felly ydw i - plwmp a phlaen - mae raid i mi fynnu bod y nonsans yma yn dwad i ben.' Os oedd Arthur yn disgwyl i Gwen gael ei dychryn gan yr ymosodiad, ei siomi gafodd o.

'O! Pa nonsens, Mr Arthur?' gofynnodd â gwên ar ei hwyneb.

'Wel, y . . . canwdlo . . . y canlyn . . . y caru 'ma. Tydio'n gneud iot o les i Wali yn un peth. Mae o wedi mynd i gribo'i wallt fel un ceiliog dandi, a llnau dan 'i winadd a phob math o lefydd.'

'A mae hynny'n ddrwg iddo fo?' Roedd Gwen yn afresymol o resymol.

'I Wali - ydi.'

'Ond be fedra i 'i neud?'

'Gadael llonydd iddo fo amball bnawn Sadwrn yn un peth.'

'Ond rydan ni mewn cariad, Mr Picton.'

'Mr Picton?' Ynganodd Arthur y gair fel pe bai'n perthyn i iaith un o lwythau Mongolia. 'Pwy ydi hwnnw?'

'Chi.' Roedd Gwen yn dal i wenu.

'O.' Os bu gwynt yn hwyliau Arthur, prin bod awel yno bellach. Crebachodd fel hen falŵn ar ôl parti.

'Gwrandwch ddyn.' Roedd rhyw stîl yn llais y wraig, a sodrodd Arthur i'w sedd. 'Tydw i ddim wedi clywed dim arall gan Walter - Wali Thomas - ond Arthur Picton hyn a George llall, heb sôn am Graham, Tecs, Twm, Dic a Harri. Dwi'n eich nabod chi i gyd yn well na fy nheulu fy hun.'

'O.'

'Isio Wali'n ôl ydach chi?'

'Ia.'

'Mi cewch o. Dw i wedi darfod efo fo.'

'Padyn?' Doedd dim pall ar syndod Arthur.

'Mr Picton. Hen lanciau ydi fy hobi i. Hen lanciau hefo mwy o bres nag o synnwyr. Ond yn achos Wali Thomas mi wnes fistêc bach. Doedd dim gormod o synnwyr i' gael gynno fo mae'n wir, ond gwaetha'r modd . . .'

'Roedd ganddo fo lai o bres!' cwblhawyd y frawddeg gan Arthur. Ond doedd Gwen ddim wedi gorffen eto.

'Beth bynnag oedd fy mwriadau i tuag at Wali, rydw i wedi dod yn ffond iawn ohono fo mewn ffordd fach od. Fedrwn i ddim cymryd mantais ohono fo taswn i isio - sy'n fwy nag y medrwn i ddweud am rai.'

A syllodd Gwen i fyw llygaid Arthur Picton nes i hwnnw deimlo rhyw bang o euogrwydd - er mai un bach iawn oedd o, mae'n wir.

'Mi setla i Wali yn fy ffordd fy hun. Rŵan, allan Mr Picton - os nad ydach chi ffansi cael bath hefo mi.'

Cododd Arthur fel jac-yn-y-bocs a'i g'leuo hi am y drws yn mwmian 'Jezebel' dan ei wynt.

Pan gyrhaeddodd y car, rhoddodd ocheniad o ryddhad a llongyfarchodd ei hun ar gyflawni tasg mor anodd gyda'r fath urddas a deheurwydd. Ond roedd y munudau blaenorol wedi profi'n dipyn o straen a phenderfynodd alw am rỳm bach yn y Mitre cyn gyrru adref.

Yn y Bull y noson honno roedd pedwarawd pryderus yn disgwyl y gwaethaf.

'Wyt ti'n meddwl i ni neud peth call, Tecs?' holodd Sandra.

Cododd hwnnw ei ysgwyddau. Rhoddodd Harri gic i George wrth y bar gan gyfeirio'i lygaid at y drws. Yno, yn sefyll yn ei anorác werdd a'i *beret* roedd Wali. Cerddodd at y bar.

‘Fath ag arfar, ia, Wali?’ a symudodd Sandra at y pwmp meild.

Gwenodd Wali’n drist. ‘Ia. Fath ag arfar, Sandra. Fath ag arfar.’

‘Popeth yn iawn, Wali?’ holodd Tecwyn yn gyfeillgar.

Eiliad o oedi ac yna atebodd Wali.

‘Nacdi. Mae Gwen wedi ’ngadael i.’

‘Naddo! Do, Wali?’ Roedd Sandra’n dechrau teimlo’n ofnadwy.

‘Do.’ Roedd Wali’n rhyfeddol o dawel a hunanfeddiannol. ‘Mi ddoth ata i heno i ddeud. Mae hi wedi penderfynu mynd yn genhades i Affrica achos ’i bod hi isio helpu pobol llai ffodus na ni, medda hi.’

Daeth distawrwydd llethol dros y criw. Sandra dorrodd yr ias. ‘Mae’n ddrwg gynnon ni, tydi Tecs?’

‘Ydi, ydi mae hi,’ meddai hwnnw wrth ddychmygu beth yn union ddigwyddodd rhwng Gwen ac Arthur.

‘Ar y bỳs aeth hi.’ Roedd Wali’n awyddus i rannu munudau olaf y garwriaeth gyda’i ffrindiau. ‘Mi droth a chodi’i llaw arna i, ac mi roedd ’na ddeigryn yn ’i llygad hi - fath ag Ingrid Bergman ar ddiwedd *Cassablanca*, wsti Tecs.’ Roedd Tecs yn gwybod. ‘Neu falla mai glaw oedd ar y ffenast. Roedd hi’n anodd deud achos roedd y glaw yn llifo i lawr ’ngwynab inna hefyd . . . a well i mi fynd i’w sychu o dw i’n meddwl.’ Ac i ffwrdd â Wali am y cefn.

‘Bechod,’ murmurodd Sandra.

‘Ai,’ cytunodd George, ‘ond o leiaf gawn ni ddŵr poeth ar ôl gêm rŵan.’

Cyn i neb gael cyfle i gystwyo George am fod mor ansensitif daeth Arthur drwy’r drws yn fuddugoliaethus.

'"Dos!" me fi wrthi. "Ti a dy bowdwr. Dos â dy wynt teg efo ti, a phaid â twllu'r lle 'ma byth eto!"' meddai Arthur wrth gyrraedd uchafbwynt ei fersiwn ef o'r stori. Tawodd pan welodd Wali'n dod o'r tŷ bach. Camodd Wali ato.

'Wali. Fy nghyfaill Wali! Ti wyddost be ddywed fy nghalon!'

'Dad!' Roedd Sandra ar bigau'r drain rhag i'w thad fynd yn bellach dros ben llestri. Ond doedd dim yn mynd i atal y llif emosiynol o enau Arthur.

'Ro'n i'n gobeithio bod yn was priodas i ti ond fel 'na mae hi. Y peth lleia fedra i wneud ydi cynnig i ti ddod yn ôl fel *coach* Bryncoch!'

Roedd Wali dan deimlad a'r glaw yn dal i lifo i lawr ei wyneb.

'O, diolch, Mr Picton. Ro'n i'n gwbod y basach chi'n dallt.'

Teimlai George ei bod hi'n bryd iddo fo gyfrannu at y ddrama.

'Cofia, Wal. *Better to have loved and lost than never to have loved at all!*' A rhoddodd fraich am ysgwyddau'r carwr digalon.

Amneidiodd Arthur i ddangos ei fod yntau'n cytuno. 'Yn hollol. Ac o sôn am bethau felly mae isio llnau y tail gwartheg oddi ar y cae cyn dydd Sadwrn.'

Trodd pawb mewn syndod at y rheolwr.

'Be sy? Be ddudis i?'

Yna dechreuodd Tecwyn chwerthin. Ac fesul un ymunodd Harri, a oedd yn barod i chwerthin ar unrhyw achlysur, a George, ac yna Arthur ei hun. Yn groes i'r graen yr ymunodd Sandra. Wali oedd yr olaf i weld y jôc - os mai jôc oedd hi - ond fo chwarddodd uchaf a hiraf yn y diwedd.

ENNILL SEDD

Mae gan bob dyn ei fan gwan fel y gŵyr unrhyw bêl-droediwr gwerth ei halen. Ond mae'n debyg ei bod yn wir dweud bod Arthur Picton wedi ei ystyried ei hun erioed yn sbesimen cadarnach o'r ddynolryw na'r rhan fwyaf o'r dynionach o'i gwmpas, ac yn sicr roedd yn ffyddiog ei fod uwchlaw temtasiynau cyffredin fyddai'n hudo meidrolion gwannach. Serch hynny, y prynhawn Sadwrn arbennig hwn, rhywbeth cyffredin iawn oedd yn mynd dan groen Arthur Picton - glaw. Roedd yn diferu o'i gap i'w drwyn, yn llifo dan ei goler ac i lawr ei war ac yn cronni yn ei welingtons mawr a oedd fel sybmarins yn suddo yn llaid Cae Tudor. Roedd o wedi fferru. Gan fod unrhyw symud yn dod â'i groen i gysylltiad â rhyw ddilledyn gwlyb neu'i gilydd, safai'n hollol lonydd heb symud dim ond ei lygaid ac, ar dro, ei geg. O gornel un llygad gwelodd Tecwyn yn cysgodi yn ei gwrcwd wrth un o'r pyst, yn siarad â rhywun mewn côt werdd.

'Tecwyn! Tria gymryd dipyn bach o ddiddordab yn y gêm, wir Dduw!'

Os clywodd y capten y geiriau dros sŵn y glaw yn tatsio ar y pyllau wnaeth o ddim dangos unrhyw arwydd na bach na mawr. Trodd Picton ei ben i dynnu sylw Wali at ddiogi'r golgeidwad, ond doedd dim golwg o hwnnw yn unman ar hyd y llinell.

'Wali!' Bron nad oedd 'na dinc o banig yn y llais.

'Ia, Mr Picton.' Daeth bref y llumanwr o'r tu ôl iddo.

Trodd Picton ei ben yn ofalus fel dyn yn dioddef o losg

haul a gweld Wali yn swatio yng nghysgod y gwrych.

'Tyd yma!'

'I be? Tydi'r reff 'ma ddim yn cymryd sylw ohona i.'

'Duda rywbath newydd wrtha i! Symud, neu mi dy riportia i di i'r lîg.'

Daeth bloedd ingol o'r cae a throdd y rheolwr yn ei ôl i weld un o chwaraewyr Penrhos ar ei liniau a Harri yn sgidio heibio fel scrambler moto beic. Roedd Harri yn ei elfen yn y mwd. Dyma'r tywydd delfrydol i arbenigwr ar y *sliding tackle*, ac roedd Harri wedi codi'r grefft i lefel celfyddyd gain dros y blynyddoedd. Chwibanodd y dyfarnwr am gic rydd i Penrhos ond doedd gan y rheolwr ddim digon o frwdfrydedd i brotestio, dim ond sibrwd 'Clown' yn dawel wrtho'i hun. Ac amhosib dweud at bwy yn union o'r cast yr oedd o'n cyfeirio.

'Amser, reff! Sbia ar dy watsh!' rhuodd Wali.

'Amen,' meddyliodd Picton a oedd am unwaith mewn cynghanedd berffaith â'i lumanwr.

'Stand ydach chi angan.' Daeth llais merch i darfu ar feddyliau Picton. Trodd mewn syndod i weld Enid Lewis, gwraig ifanc o'r pentref, yn cerdded heibio.

'Be?'

'Stand - eisteddle - i chi gael mochal yn y tywydd mawr 'ma. Hwyl.'

Ac i ffwrdd â hi fel ysbryd gwyrdd yn cerdded ar wyneb y dyfroedd. Syllodd Picton ar ei hôl fel dyn yn gweld drychiolaeth, ond cyn iddo gael amser i roi trefn ar ei feddwl daeth yr olaf chwîb o'r cae.

'Diolch byth!' A cherddodd am y cwt.

Bu'n ystyried mynd adref yn syth heb fynd i weld y tîm

ond penderfynodd bod yn well iddo alw yn y cwt. Roedd wedi gadael ei esgidiau ail orau y tu mewn. Yn y cwt roedd hi fel *Turkish bath* heb y gwres. Roedd y dillad sych hyd yn oed yn llaith, a'r stêm a'r mwg sigaréts yn ddigon â chodi pwys ar stumog wan y rheolwr.

'O'dd y fflipin cae 'na'n uffernol,' gwaeddodd George wrth daflu ei grys sglyfaethus i wyneb Wali.

Daeth llais Picton o'r drws.

'O ble ro'n i'n sefyll, George, roedd pob dim yn uffernol: y cae, y tywydd, y reff - pob dim, a thîm Bryncoch, wrth reswm, yn fwy uffernol na'r un ohonyn nhw.'

Winciodd Harri ar Graham a George a chwerthin yn slei bach â'i gefn at Picton. Ond doedd George ddim wedi gorffen plagio'r rheolwr eto.

'O dwn i'm. Roedd hi'n *exciting* 'toedd? *End to end stuff*, Affyr, ond rhaid i ti gyfadda, mi roedd hi'n fudur allan 'na heddiw i *ball player* fel fi.'

Poerodd Wali belen o laswellt o'i geg fel dyn yn cael gwared â joe o faco. 'Mae hi'n fudur allan fan'na bob tro wyt ti'n chwara, George Huws!' A throdd at Arthur yn falch ei fod wedi medru ei gefnogi. Anwybyddodd y rheolwr ef gan droi at Tecwyn.

'Wyddost ti be, Tecwyn? Dwi'n meddwl i mi gael cip ar dragwyddoldeb allan fan'na heddiw.'

Cododd y goli ei aeliau i ddangos ei fod wedi clywed, a meddyliodd tybed a oedd rhoi profiad lled ysbrydol i Arthur Picton yn cyfiawnhau treulio pnawn diflas, rhynllyd ar gae pêl-droed.

Wrth weld nad oedd dim perl yn dod o geg ei gapten trodd Arthur i fynd, ond cyn agor y drws gofynnodd, 'Be oedd yr hogan 'na isio efo ti ar y cae 'na pnawn 'ma, Tecwyn?'

'Sefyll lecsiwn mae hi a isio i mi lofnodi ei phapurau enwebu hi.'

Edrychodd Arthur yn amheus. 'Wrthodist debyg.'

'Naddo. Un dda ydi Enid.'

'Da. Drwg. 'Di o'm ots. Paid byth â chymysgu *sport* a pholitics; cofia hynny, Tecwyn. Sbia be ddigwyddodd i'r Eisteddfod Genedlaethol!' A chamodd yn bwrpasol allan i'r ddrycin.

Cyn iddo fo ddiflannu mentrodd Tecwyn, 'Wyt ti isio deud gair wrth y tîm, Arthur?'

Daeth pen y rheolwr yn ôl heibio i'r cilbost.

'Oes. Dau. Hwyl fawr.' A diflannodd.

★

Yn y Bull roedd Sandra wrthi'n paratoi brechdanau a phryd poeth i'r tîm erbyn iddyn nhw gyrraedd o'r cae. Roedd hi ar fin tywallt y bîns i'r sosban pan glywodd gloch y bar yn canu. Yno, yn edrych o'i gwmpas fel pe'n chwilio am rywun, roedd gŵr yn tynnu at ei drigain, wedi ei wisgo mewn côt dri chwarter gynnes, sgarff a menig lledr.

'Whisgi bach, Sandra. Tywydd.'

'Ydi, Mr Puw.'

'Fydd dy dad yn dod yma ar ôl y gêm fel arfar?'

Cododd Sandra'i haeliau a moeli ei chlustiau. Be oedd Ffestin Puw, adeiladydd mwyaf llewyrchus yr ardal, isio efo'i thad, tybed? Esboniodd Sandra wrtho bod ei thad yn debyg o fynd adref i newid yn gyntaf gan ei bod hi mor wlyb. Diolchodd Ffestin Puw yn raslon, rhoi clec i'w ddiod, codi ei het *trilby* ac allan i'w gar. Mewn pum munud roedd yn parcio'r Volvo y tu allan i Lys Orwig.

Yn y llofft, ac allan o olwg Ffestin Puw, yn gorwedd fel morlo mewn lagŵn yn un o Ynysoedd Môr y De, roedd Arthur Picton yn dadmer yn y bath. Roedd ei lygaid ynghau wrth i'r gwres lifo yn araf yn ôl i'w gorff. Cododd ei droed dde a gyda sgìl diymdrech yn deillio o oes o brofiad, trodd y tap dŵr poeth ymlaen gyda bawd ei droed. Suddodd yn ôl a thawch yr Alpine Bath Salts yn wafftio heibio'i drwyn ac yn ei gludo i wledydd pellennig ei freuddwydion.

Brrrrrr! Clywodd gloch y drws ffrynt.

'Elsie!' Bloeddiodd ond cofiodd yn rhy hwyr bod ei briod wedi mynd allan i siopa i'w mam. Penderfynodd anwybyddu'r gloch, ond sylweddolodd fod y clochydd eisoes wedi clywed ei lais. Cododd yn flin o'r bath nefolaidd a thaflodd gôt wisgo las anferth amdano.

'S'mai. O! Mae'n ddrwg gen i'ch styrbio chi, Mr Picton. Wyddwn i ddim ych bod chi . . .'

Gwenodd Arthur yn gam gan obeithio y byddai'r dyn yn dweud ei neges a mynd cyn iddo fferru eilwaith.

'Wna i mo'ch cadw chi a chitha wedi bod allan yn y glaw 'ma trwy'r pnawn. Mae pobol fel chi yn brin iawn yn y byd sydd ohoni, Mr Picton. Cymwynaswyr bro, y rhai sy'n gweithio yn y dirgel.'

Pur anaml y byddai Arthur yn cael ei daro'n fud, ond roedd yr ymosodiad hwn o garedigrwydd wedi ei lethu. Mwmiodd, 'Dewch i mewn, Mr Puw.'

Wrth gerdded i'r parlwr roedd Ffestin Puw yn ddi-

ddiwedd ei glod. 'Na, mae gwasanaeth fel eich un chi i gymdeithas yn amhrisiadwy. Ac mi rydw inna'n gobeithio cael cyfla fy hun cyn bo hir . . .'

'O? Ydach chi am ddechra tîm ffwtbol?'

'Na, na. Dw i'n sefyll yn lecsiwn y Cyngor Dosbarth. Annibynnol, wrth gwrs.'

Amneidiodd Arthur. 'Wrth gwrs,' meddai gan wenu wrth feddwl, 'Dyna mae'r sinach bach yn 'i neud yma,' wrth sylweddoli pwrpas y sebon. A hedodd bryd Arthur yn ôl i'r trochion sebon uwch ei ben a dechreuodd rwbio'i ddwylo i ddangos ei fod yn oeri.

'Ia, wel,' roedd Ffestin yn darllen yr arwyddion. 'Well i mi fynd, ond cofiwch, Arthur, os ca i fy ethol fydda i ond yn rhy falch i gael cyfla i helpu'r hen glwb 'ma mewn unrhyw ffordd . . . cofiwch rŵan. Diolch yn fawr i chi am eich amser. Cofiwch amdana i.'

Yn ôl yn y bath roedd y dŵr yn oeri. Melltithiodd Arthur yr ymwelydd, ond dechreuodd ei feddwl grwydro yn ôl i'r cae a'r glaw yn hyrddio ac at lais addfwyn yn sibrwd yn ei glust.

*

Roedd pethau'n cynhesu ym mar y Bull erbyn hyn. Y pei a'r ffa coch poeth wedi dadebru rywfaint ar y tîm, Tecs yn cwyno fod winthrew yn ei fysedd a Wali'n cwyno fod ganddo winthrew mewn llefydd peryclach o'r hanner wrth iddo gyfrif arian y giât.

'Saith deg pump ceiniog,' datganodd o'r diwedd a derbyn bloedd o gymeradwyaeth.

'Pwy oedd yno ar ffasiwn dywydd?' holodd Sandra.

'Wel, roedd rheolwr Penrhos, mam Wili Bryngo a Peris Tŷ Isa - chwarae teg iddo fo,' atebodd Wali gan hel yr arian i gwdyn afresymol o fawr.

'Ei wraig o sy'n ei hel o allan o'r tŷ bob pnawn Sadwrn,' esboniodd Sandra, 'er mwyn iddi hi gael hwfro.'

Cyn i neb ymateb, cerddodd Arthur Picton i mewn i'r dafarn yn edrych yn dipyn smartiach dyn nag oedd o awr ynghynt. Roedd ei gam yn sionc a golwg un wedi darganfod pwrpas i'w fywyd arno.

'Rỳm, Sandra, plîs!' A gwenodd.

'Sut aeth hi?' gofynnodd Sandra i dynnu'r gwynt o'i hwyliau yn fwy na dim.

'Yn lle?'

'Ar y cae, siŵr.'

'O, uffernol. Un pwynt. Ond 'di o'm ots. Rydw i wedi cael gweledigaeth,' a chipiodd ei ddiod o'r bar a mynd draw i gornelu Tecs dan y simdde fawr. Cafodd hwnnw ei lorio gan gwestiwn cyntaf Arthur.

'Wyt ti'n meddwl ein bod ni angen stand?'

'Stand? I ddal bloda?'

'Naci, naci. Stand i'r cae.'

'O! Stand stand. Pam lai 'te? Mi eith yn iawn efo'r *floodlights* a'r gwres canolog a'r ganolfan hamdden.'

'Gwranda, Tecwyn, taswn i isio rwdl mi awn i i sgwrsio hefo Wali. Rŵan, atab fi'n iawn.'

'Ond Arthur bach, fedrwn ni ddim fforddio pêl heb sôn am stand.'

Gwenodd Arthur Picton fel un oedd wedi meddwl am ateb ymlaen llaw i'r cwestiwn anodd.

'Ond tawn i'n cael un am ddim . . .'

Roedd Tecwyn yn edrych yn amheus, yn ôl ei arfer.

'Ond dyna fo, os ydi hi'n well gen ti gadw petha fel maen nhw a pheidio gwella cyfleustera'r clwb, cael cwt newid hefo cawod . . .'

'Na, na . . . wrth reswm mi fyddwn i o blaid peth felly, ond . . .'

Gwenodd Arthur eto.

'Dyna ni 'ta. Rwyt ti o blaid. Mae raid i mi fynd. Mae gen i waith i'w wneud.' Cododd, ac fe aeth.

Ar ôl hel ei feddyliau cododd Tecwyn a mynd at y bar at Wali, George a Sandra i adrodd yr hyn a glywsai.

Roedd Wali'n methu deall.

'Dw i wedi bod yn meddwl llawar. Os mai lle i ista ydi o, pam maen nhw'n 'i alw fo'n "stand"?'

'Sut?' holodd Sandra oedd yn ceisio dirnad meddwl ei thad.

'Yn hollol,' atebodd Wali. 'Mi fysa hynny'n well enw o'r hannar.'

Roedd pawb ar goll. '*Sit*,' esboniodd Wali. 'Mae o'n well enw tydi? *Sit*. Lle i ista.'

Roedd meddwl Sandra a Tecs ymhell, ond roedd George a Harri'n ceisio dilyn trywydd Wali. Trodd George at ei gyfaill.

'Ma Wali ma'n stagro fi. Dyma ni ers cantoedd o blynyddoedd - *centuries, even* - a mae pawb, Roman, Grîcs, Escimos, pawb yn galw'r peth yn "stand". Ond heno, yn y Bull, Bryncoch, mae Wali, Master Ymenyn Cymru a'r *Welsh Word Wizard* wedi penderfynu bod pawb wedi'i gael o'n rong ar hyd y canrifs ac mai *sit* ydi'r gair go-iawn.

Fflipin *amazing*!'

Roedd perorasiwn George wedi dod â sylw Sandra yn ôl at y sgwrs a daeth i achub mab Mrs Thomas.

'Wali sy'n iawn, 'te?' meddai gan sobreiddio'i chariad. 'Eisteddle ydi o yn Gymraeg. Ond fasa penrwdan fatha ti ddim yn gwybod hynny, na fasat?'

Ar ôl saethu ceffyl ei chariad oddi tano, trodd yn ôl i ddyfalu beth oedd yn cyniwair ym meddwl twyllodrus ei thad.

★

Ym mharlwr Ffestin Puw roedd meddwl twyllodrus Arthur Picton ar fin saethu'r bwledi olaf a fyddai'n llorio'i brae yntau. Lledai gwên fawr ar draws wyneb y ddau wrth i Arthur adrodd yr uchelgais oedd ganddo i weld stand ar gae Bryncoch.

'Rhywbeth y medrwn ni gydymfalchïo ynddo fo, Mr Puw, fel Paris a'r Eiffel Tower, Pwllheli a'r roc, Tony ac Aloma. A mi fydda dod â stand i gae Bryncoch yn bluen fawr yn eich het chi, yn bydda . . .' a seibiodd fel her-adroddwr ar fin cyrraedd y cleimacs, ' . . . ac yn hwb sylweddol i'r ymgyrch.'

Roedd Ffestin Puw yn ormod o lwynog i ruthro i'r fagl.

'Mi fyddai rhai pobol, Mr Picton, yn deud mai trio cael mantais annheg fyddai hynny,' meddai'n dawel, a gwên yn llechu yn ei lygaid.

Ysgydwodd Arthur Picton ei ben yn nacaol i nodi mor afresymol oedd meddwl peth o'r fath.

'Twt lol. Mae dynion fel ni uwchlaw rhyw hen driciau

dan-din fel yna, Ffestin. A mae gynnon ni saer a brici neu ddau yn y clwb i neud y gwaith.'

'Wel dwn i ddim, Arthur.'

'A dw i'n siŵr tasach chi angan help i rannu'ch pamffledi y medrwn i drefnu hefo'r tîm.'

Gwenodd Arthur. Gwenodd Ffestin Puw, a rhoddodd y peth tebycaf i winc welsoch chi erioed. Roedd pethau'n edrych yn addawol iawn.

*

Os oedd gan Arthur wendid, a byddai gofyn person go atebol i awgrymu hynny wrtho, methu cuddio'i deimladau oedd hynny. Hyd yn oed pan fyddai'n fanteisiol iddo'u rheoli, byddai rhyw ysfa yn dod drosto i ddangos ei wylltineb neu ei orfoledd i unrhyw un a welai. Felly, doedd hi fawr o ryfeddod, pan ddychwelodd adref y noson honno, fod Sandra wedi cael gwybod am ei lwyddiant ysgubol gyda Ffestin Puw. Roedd o bron â byrstio wrth ei longyfarch ei hun ar ei gampwaith. Siom fawr iddo felly oedd clywed Sandra, ei ferch ei hun, yn ei alw'n fradwr a gwaeth.

'Ydach chi'n meddwl o ddifri bod hwnna'n codi stand achos 'i fod o isio helpu'r clwb?' gofynnodd yn ei chynddaredd.

Edrychodd ei thad yn hurt arni.

'Wel, nacdi siŵr, mae o'n codi stand am 'i fod o isio'i helpu'i hun.'

'I fynd ar y cyngor?' Roedd Sandra'n swnio'n beryglus, a dechreuodd Arthur fagio am ei lofft.

'Dydi pawb ddim yn gwirioni 'run fath,' meddai wysg ei din.

Ond doedd Sandra ddim wedi darfod.

'A beth am Enid? Mae hi'n werth chwech o rai fel Ffestin Puw sy 'mond isio ymuno â'i fêts o'r lodj ar y cyngor.'

'Rŵan, rŵan, Sandra.' Mi fuodd Arthur bron ag awgrymu nad oedd Mr Puw yn ddrwg i gyd, ond roedd o'n ddigon call i beidio.

'Does dim iws cymysgu sbort a pholitics . . .' dechreuodd yn herfeiddiol.

'Os nad ydach chi isio codi stand, ia?' A chaeodd Sandra ddrws y gegin yn ei wyneb er mawr ryddhad i Arthur. Aeth i'w wely yn rhyfeddu unwaith eto at ddyrys drofâu y meddwl benywaidd.

*

Bu'r dyddiau canlynol yn llawn tensiwn ym Mryncoch. Penderfynodd Arthur mai'r peth callaf oedd cadw allan o ffordd Sandra. Penderfynodd Sandra, fel un a thipyn o synnwyr cyffredin ganddi, nad oedd bwrpas yn y byd ceisio dadlau â'i thad. Roedd gofyn am gynllunio gofalus cyn cael y Wil arbennig hwn i'w wely.

Ddigwyddodd dim o bwys tan y nos Iau, noson yr ymarfer. Roedd Arthur wedi rhoi ar led bod disgwyl i bawb - yn hytrach na'r hanner dwsin arferol - droi i mewn, gan fod dyfodol yr eisteddle yn dibynnu ar gadw Ffestin Puw yn hapus. Camgymeriad tactegol fu taenu'r stori, serch hynny, gan fod y rhan fwyaf o'r tîm yn ofni gwleidyddiaeth yn fwy nag ymarfer hyd yn oed. Ac yn achos Bryncoch roedd hynny'n ddweud go fawr. Ar wahân i'r rheolwr ei hun, dau yn unig a bresenolodd eu hunain: Wali - i gyflwyno'r

‘Ymddiheuriadau’ (rhai ohonyn nhw’n wreiddiol iawn) ar ran y tîm, a George, na wyddai ddim am rannu’r pamffledi, gan ei fod wedi bod yn Walton am ddeuddydd yn edrych am ei frawd. Pwysai Arthur yn erbyn chwarel y ffenest yn neuadd ddrafftiog yr hen ysgol yn gwrando, os gwrando hefyd, ar Wali.

‘Ac mae Wili - chredwch chi byth - yn meddwl cychwyn cwrs nos ar ysgrifennu creadigol. Ac mae gwraig ’i frawd-yng-nghyfraith Graham . . .’

‘Dydw i’m isio gwybod, Wali. Bradwrs a chachwrs bob un.’

‘Dim pob un, Affyr.’ Daeth llais George o ben arall y stafell lle roedd yn jyglo’r bêl ac yn edrych ar ei adlewyrchiad yn y ffenest am yn ail.

‘Na, Affyr, mae’r stand ’ma’n swnio fel blydi gwd syniad i fi, achos pan dwi’n sgorio gôl ac isio gneud cartwhil tin-dros-ben-ôl, dwi’n teimlo’n stiwpid yn ’i neud o o flaen mam Wili Bryngo a Peris Tŷ Isa. Ond os bysa gynnon ni stand, mi fyddwn i’n medru ’i neud o o flaen hwnnw byswn, heb teimlo’n prat.’

‘Bysat, bysat,’ cytunodd y rheolwr gan fod George bellach yn allweddol i’w gynlluniau. Edrychodd ar ei wats a sylweddoli y byddai Ffestin Puw yn cyrraedd unrhyw funud. Esboniodd wrth George bwysigrwydd helpu’r ymgeisydd er lles y clwb a dynoliaeth yn gyffredinol, ond braidd yn llugoer oedd ymateb ei seren.

‘Wel, tydw i ddim yn *political animal* fy hun, ’te.’

‘Wel dwyt ti ddim yn political, mae hynny’n sâff, ond gwranda, sgin hyn ddim i’w wneud â gwleidyddiaeth, nacoes? Cân di bennill fwyn i’th nain ydi hi ’te?’

Ond doedd George ddim wedi ei argyhoeddi.

'Na, na, dw i ddim yn medru canu chwaith ti'n gweld, Affyr.'

'Arclwy mawr!' Clywodd Arthur sŵn car yn brecio y tu allan.

'Gwranda'r mynci! Lle wyt ti'n gobeithio treulio dydd Dolig nesa, y?'

'Wel, hefo Sand yn tŷ chdi . . .'

Edrychodd Arthur yn awgrymog arno, a dyna sut daeth George, chwarter awr yn ddiweddarach, i ddiflannu i'r nos gyda holl bamffledi etholiad Ffestin Puw dan ei fraich.

Wrth i'r drafodaeth rhwng George ac Arthur fynd yn ei blaen, roedd Wali wedi sleifio'n ddisymwth allan o'r stafell. Doedd o ddim am bechu neb trwy gael ei weld yn helpu Ffestin Puw, ond cuddiodd y tu allan i weld beth oedd ar droed cyn troi am ei gartref ysbrydol yn y Bull i adrodd ei stori wrth Sandra. Chlywodd o mo ddiwedd y sgwrs rhwng y rheolwr a'i seren ond fe welodd y canlyniad.

Os oedd Sandra'n flin cyn hynny, yn naturiol, roedd hi'n saith gwaeth wedi clywed am frad ei chariad, fel y deallodd George pan alwodd am beint yn ddiweddarach. Ond roedd pethau'n edrych yn ddu iawn i wrthwynebwyr Ffestin Puw a chynllun y stand.

Fel y deuai diwrnod yr etholiad yn nes, gwelwyd peiriannau cymysgu concrit a blociau adeiladu ar Gae Tudor. Roedd y gwaith mawr ar ddechrau ac roedd Arthur Picton yn synhwyro buddugoliaeth; dwy fuddugoliaeth a bod yn fanwl. Ond fel y gŵyr pawb sy'n gyfarwydd â thrasedïau Groegaidd a *Phobol y Cwm*, mae uchelgais a chwymp yn gallu bod yn gymdeithion clòs.

Un bore Sadwrn, roedd Arthur Picton yn eistedd yn ei hoff gadair yn y gegin fyw yn darllen y papur ac yn teimlo'n eitha bodlon, pan ddaeth cnoc ar y drws. Wali oedd yno. Ac roedd ganddo stori. Roedd o wedi galw yn y Plas Coch y noson cynt, tafarn ar gyrion y pentref ar gyfer pobl fwy dethol na chwsmeriaid y Bull. Prawf o hynny oedd fod sgampi ar y *menu*. Ond wedi digwydd galw oedd Wali tra oedd yn casglu cwpons y pyllau pêl-droed.

'A wyddoch chi be, Mr Picton?'

'Be?'

'Roedd y lle'n wag. Dwn i'm sut mae o'n cael digon at 'i fyw. Un o lle ydi o?'

Ebychodd Arthur Picton yn ddiamynedd.

'A mi ddoist yma i ddeud hynna wrtha i?'

'Naddo, siŵr iawn. Wyddoch chi pwy ddoth i mewn wedyn?'

Gwyrodd Arthur nes bod ei wyneb o fewn modfeddi i un Wali.

'Gwranda, washi. Taswn i isio clywad lot o gwestiyna nad oes gen i syniad sut i'w hatab, mi fyswn i'n recordio *Profi'r Pethe*!'

'Argol! Fyddwch chi'n sbio ar *Profi'r Pethe*?'

Cydiodd Arthur Picton yng ngholer ei lumanwr yn fygythiol.

'Dim un cwestiwn arall, dallt? Be wyt ti isio'i ddeud?'

'O ia. Sori. Pwy feddyliach chi . . . Y sori . . . Mi ddoth Ffestin Puw drwy'r drws ac at y bar, ac i dorri stori hir yn fyr . . .'

'Go brin,' meddyliodd Arthur.

' . . . Mi ddechreuodd frolio wrth y barman am yr

eisteddle, sy'n dipyn gwell enw na "stand", ydach chi'm yn meddwl?'

Bu distawrwydd.

'O, ia. Wel, toedd o ddim . . . wedi 'ngweld i, 'dach chi'n gweld, achos . . . o 'di o'm ots. Ta waeth, mi ddeudodd ei fod o wedi cael enw i'r eisteddle. A gesiwch be oedd o?'

'Na wna.'

'Eisteddle Ffestin Puw. Ond mai "stand" ddeudodd o wrth reswm.'

'Be?' Roedd golwg ryfedd iawn wedi dod i lygaid y rheolwr. 'Eisteddle Ffestin Puw? Pwy ddiawl mae o'n 'i feddwl ydi o?'

'Chi sy'n gofyn cwestiyna gwirion rŵan, Mr Picton,' meddai Wali mewn ymgais aflwyddiannus i ysgafnhau rywfaint ar yr awyrgylch.

'Fy syniad i oedd o! Tydi o rioed yn meddwl mai'i stand o ydi o? Jyst am mai fo sy'n 'i hadeiladu hi? Py! Beth am Dŵr Marcwis? Cofgolofn i'r marcwis ydi hi, ond nid fo cododd hi, naci?'

'Wel, mi fysa wedi bod yn anodd iawn iddo fo hefo un goes, yn bysa?' cynigiodd Wali. Daeth y sgwrs i ben yn sydyn pan gaewyd y drws yn glep yn ei wyneb. Roedd Arthur Picton yn flin.

Tua'r un adeg roedd Tecwyn Parry'n cyflwyno'r post i adeiladydd yr eisteddle ar gowrt ei dŷ.

'Dyna ni,' meddai Tecwyn. 'Pethau'n dechrau siapio ar y cae, Mr Puw.' Gwenodd hwnnw a throi i fynd am y tŷ, ond cydiodd Tecwyn yn ei benelin a gostwng ei lais. 'A gyda llaw, mi fuoch chi'n fawrfrydig tu hwnt.'

Rŵan, doedd gan Ffestin ddim y syniad lleiaf beth oedd

ystyr 'mawrfrydig', ond roedd o'n swnio fel peth gweddol neis. Ac roedd hynny'n ei boeni.

'Ydach chi'n meddwl?'

'O ydw. Doeth iawn. Mi fydd yn fodd i fyw i Arthur gael ei enw mewn llythrennau breision ar ben y stand. "Eisteddle Arthur Picton". Coron ar oes gyfan o wasanaeth. Llongyfarchiadau. Hwyl rŵan,' a neidiodd i'r fan cyn i Ffestin Puw grynhoi ei feddwl a'i gynddaredd.

Am hanner awr wedi deg y bore hwnnw gwelwyd dau gar yn chwyrnellu ar hyd ffyrdd Bryncoch, y naill wedi ei anelu at iard Ffestin Puw a'r llall yn dod o'r iard honno i gyfeiriad y pentre. Daeth y ddau wyneb yn wyneb a thrwyn wrth drwyn ar Bont y Tyrpeg. Chlywodd neb beth ddywedwyd, ond cafwyd tystiolaeth bod cryn dipyn o weiddi a chwifio breichiau wedi digwydd.

Yn ôl yng nghlydwch a thawelwch bar y Bull y pnawn Sadwrn hwnnw, toc wedi hanner dydd, ymgasglodd Wali, Tecwyn a Sandra. Cafwyd adroddiad ar y sgyrsiau a fu a chytunwyd bod cynllun Sandra wedi bod yn llwyddiant. Prawf o hynny, yn ôl pob golwg, oedd gweld Arthur Picton yn cerdded i mewn a gwedd un newydd glywed am farwolaeth yn y teulu arno.

'Rŷm bach, Sandra, i mi gael boddi 'ngofidia.'

Ddywedodd neb fawr ddim ond cytuno'n ddwys.

'Na, peth ofnadwy ydi cael dy siomi mewn pobol, 'te, Tecwyn?'

Pesychodd hwnnw a rhyw led gytuno.

'Hidiwch befo, Dad, mi ddaw eto haul ar fryn.'

'Na, mae hi wedi mynd i'r diawl. Fedri di ymddiried yn neb heddiw, na fedri, Wali?'

'Na, na fedrwch.' Ac mi daerech chi bod rhyw grygni yn ei lais. 'Peidiwch â phoeni, Mr Picton, hen *snake in the grass* fuodd yr hen Ffestin 'na erioed.'

'Anghofiwch o, Dad.'

'Sut fedra i, Sandra? A finna wedi cael fy mradychu fel hyn.'

'Bradychu?' Rhoddodd y gair sioc i Wali.

'Cusan Jiwdas, Wali.'

'Hynny hefyd? Sglyfath!' Roedd Wali'n syfrdan.

'Hidiwch befo, Dad. Mi gewch chi'ch stand ryw ddiwrnod,' meddai Sandra.

Edrychodd ei thad arni, a gyda fflach yn ei lygaid dywedodd, 'Ddudist ti rioed fwy o wir. Caf, mi ga i fy stand - a hynny gan Ffestin Puw, Ysw. - cynghorydd nesa Bryncoch!'

Symudodd yr un o'r drindod ddim.

'Y penbyliaid! Meddwl y basach chi'n medru'n twyllo ni hefo rhyw straeon dwy a dima. Hy! Amaturiaid. Ond dyna fo, diolch i chi, mae gynnon ni enw i'r stand rŵan, "Eisteddle Picton - Puw Stand".' Rhoddodd glec i'w rŷm a cherddodd allan gan adael y tri yn gegrwth. Sandra ddaeth ati'i hun gyntaf.

'Wel, wel. Stand Pi Pi.' Ac fe geisiodd y tri weld y jôc orau gallen nhw.

*

Daeth noson yr etholiad. Yn y Bull, roedd y criw wedi ymgasglu. Wrth y bar safai Wali a Harri.

'Ti wedi fotio, Wali?' holodd Harri.

'Paid wir. Dwi jyst â drysu.'

'Drysu? Pam? Dim ond dau sy'n sefyll.'

'Wn i. Ond ti'n gweld, mae Mam yn fotio'n groes i mi bob tro.'

Daeth Sandra'n nes a gofyn pam.

'Yn lle'n bod ni'n cael y bai, medda hi. Ac felly, mi ddechreuis i ddeud clwydda er mwyn iddi fotio'r un ffordd, ti'n dallt?'

Er nad oedd neb, yn ôl pob golwg, yn deall, aeth Wali'n ei flaen.

'Ond rŵan mae hi wedi ffeindio 'mod i'n deud clwydda, felly dw i wedi dechra deud y gwir er mwyn iddi feddwl 'mod i'n deud clwydda a wedyn mi fotith yn groes, sy'n meddwl y byddwn ni'n fotio yr un ffordd. Ti'n gweld hi?'

'Wel . . .' dechreuodd Harri, ond roedd Sandra'n gwybod beth i'w wneud mewn sefyllfa fel hyn. 'Da iawn, Wali. Clyfar iawn.'

'Sut wyt ti'n meddwl aiff hi, Sandra?' holodd Harri.

'Paid wir. Mae gen i gymaint o gywilydd o Dad â hwnna,' gan gyfeirio at George a oedd yn cuddio y tu ôl i Tecwyn ac yn trio cajo peint oddi ar unrhyw un oedd yn mynd at y bar. 'Does gan Enid druan ddim tsians nagoes, dim â phetha fel'na yn gweithio yn ei herbyn.'

Trodd at gwsmer sychedig, ond o gornel ei llygad gwelodd ei thad yn dod i mewn gan symud fel brenin at y bar.

'S'mai bawb? Peint o meild, os gweli di'n dda, Sandra,' a gwenodd fel giât.

'Tydw i ddim yn siarad hefo chi.'

'Ac un i fi.' Ymddangosodd George wrth ymyl Arthur.

'Ac un i fy nghyfaill. Buan iawn y newidiwch chi'ch cân. Unwaith y daw'r cyhoeddiad 'na bod Ffestin i mewn, mi fydd y stand cystal â bod ar ei thraed, ac mi fydd pawb yn gwybod i bwy fydd y diolch wedyn.'

'Roc on, Affyr,' ategodd George.

'Ble mae o?' Daeth llais o gyntedd y dafarn ac ymddangosodd y darpar gynghorydd Ffestin Puw yn y drws. Roedd ei wyneb o liw peryglus i ddyn o'i oed, ac yn ei ddwrn gafaelai mewn sach blastig ddu drom. Gwelodd Arthur ef.

'Mr Puw! Gadewch i mi gael prynu diod i chi!'

'Chdi . . .!' Camodd Ffestin yn fygythiol at y bar. Gwelodd George a oedd yn rhyw led guddio yng nghysgod y rheolwr. 'A chdi! Y cachwr! Y bradwr . . .!'

'Mr Puw! Be sy . . . ? Mae . . .' Taflwyd Arthur yn llwyr oddi ar ei echel.

'Be sy? Be sy? Dyma i ti be sy, Picton!' Ac fel dyn syrcas yn gwneud campau, cododd y sach uwch ben y rheolwr a thywallt ei chynnwys am ben Arthur Picton. Roedd y cynnwys yn ddiddorol heb sôn am fod yn llysnafeddog. Pamffledi etholiad Ffestin Puw oedden nhw yn dipiau mân ac yn olew budr.

Gyda'i graffter arferol dywedodd Wali yr amlwg. 'Debyg i'ch pamffledi chi, Mr Puw.'

'Dyna ydyn nhw 'te'r lob! Wedi eu stwffio i sgip ym Maes Llyn - nos Iau ddiwetha. Mi gei di dalu am hyn, Picton!' Cydiodd yn y sach a'i lapio am wddf y rheolwr syn.

Camodd George yn ôl o'r bar i roi pellter rhyngddo ef a'i reolwr. 'I ti wnes i o, Affyr. Gad i mi ecsplenio.'

Syllodd Arthur drwyddo.

'Ecsplenia. A wedyn dw i'n mynd i dy ddatgymalu di asgwrn wrth asgwrn.'

'Reit. O.K. Affyr. Doedd Ffestin ddim yn meddwl codi stand i ti. Con oedd yr holl beth. Ddudodd Twm Taten wrtha i - a mae o'n gweithio iddo fo. Mae'r boi yn bancrypt. Isio mynd ar cownsil i gael jobs i gadw'r ffyrm i fynd oedd o.'

'Hy! A ti'n disgwyl i mi gredu stori fel honna?' Roedd Arthur yn dal i swnio'n beryglus. Oedodd George cyn cynnig, 'Does gin i ddim digon o . . . ymenyn i feddwl am y stori honna os dydi hi ddim yn wir, nac oes?'

'George! Ti'n gariad i gyd!' a lapiodd Sandra ei hun o gwmpas ei harwr. 'Ond pam na fysat ti'n deud wrtha i?'

'Achos, Sandra, achos mai boi fel'na ydw i - fath â'r Lone Ranger. A ro'n i wedi ffansïo chwarae o flaen stand, Sand, ond do'n i ddim yn ffansïo Puw. Achos fo Ffestin oedd ar y *bench* pan helion nhw brawd fi i Walton tro dwytha.'

Chwarddodd pawb. Wel, pawb ond Ffestin Puw.

*

Y Sadwrn canlynol roedd hi'n ddiwrnod oer a gwlyb arall ar Gae Tudor. Yr un cast oedd yno: mam Wili Bryngo, Peris Tŷ Isa, y rheolwr arall a'i lumanwr ynghyd ag Arthur a Wali a'r ddau dîm.

'Sbiwch pwy sy 'ma. Y cynghorydd newydd.' Tynnodd Wali sylw ei reolwr. Cerddodd Enid Lewis drwy'r pyllau ac at y ddau.

'Mynd i ddiolch i Tecwyn am ei gymorth ydw i,' meddai.

Gwenodd Arthur yn gam.

'Llongyfarchiadau i chi,' meddai trwy ei ddannedd.

'Diolch, Mr Picton,' a chamodd heibio gan daflu dros ei hysgwydd, 'Stand ddylach chi ei gael - i mochal.'

Llithrodd Wali'n ddistaw i fyny'r lein ymhell o gyrraedd ei reolwr, ond pe bai wedi edrych yn ôl, mae'n bosib y byddai wedi gweld deigryn bychan yn llifo i lawr boch ei reolwr. Ar y llaw arall, efallai mai diferyn o law yn disgyn o'i wallt oedd o ar ei ffordd i'w welingtons.

YR ARWR

Stadiwm San Siro, Milan, yn grochan o sŵn ac yn fwrlwm o liw, a rhu'r dorf enfawr fel wal o gylch y maes. Ar y cae mae Cymru'n chwarae'r Eidal ac, yn wyrthiol, yn ennill o dair gôl i ddwy. Yn sydyn mae Donadoni yn derbyn pàs gan Beresi ac yn gwibio i lawr yr asgell heibio i Mark Hughes, fflic sydyn i Baggio a derbyn y bêl yn ôl i'w draed ar y cyffyrddiad cyntaf. Mae'n curo'r cefnwr ac yn croesi'r bêl i'r canol lle mae Southall yn neidio'n ddewr at draed Schillaci. Ond och, mae hwnnw'n cipio'r bêl ac yn ei tharo i'r rhwyd! Gôl! Mae'r dorf yn wyllt. Schillaci ar ei liniau yn diolch i'r Forwyn Fair a'i lygaid yn tanio cyn i chwaraewyr yr Eidal daflu eu hunain yn domen anweddus o gyrff chwyslyd am ei ben.

Ond yn sydyn try'r banllefau'n weiddi croch a chwibanu milain. Mae'r llumanwr yn dal ei faner yn uchel yn yr awyr. Mae cant a hanner o filoedd o lygaid yn troi at y llumanwr druan. Does dim dyn mwy unig yn y byd i gyd. Mae'r camera'n troi ato a'i wyneb yn llenwi'r sgrîn. Mae'n wyneb cyfarwydd. Wali ydi o! Wali Thomas o Fryncoch yn llumanwr yn rownd gynderfynol Cwpan y Byd! Mae'r straen yn amlwg ar ei wyneb wrth iddo esbonio beth a welodd i'r dyfarnwr. Rhuthra chwech o dîm yr Eidal ato. Maen nhw'n sgrechian yn ei wyneb a chas perffaith yn fflachio yn eu llygaid. Trwy'r rhuo clyw Wali'r llais, 'Wali Thomas! Wali Thomas! Ydi o wedi deffro?'

Cwyd Wali ar ei eistedd yn y gwely yn ymladd am ei wynt, a chwys yn diferu i lawr ei fwstash. Treiddia llais ei fam trwy niwl ei hunllef, ac am unwaith mae'n falch o waredigaeth.

*

Bum munud yn ddiweddarach roedd Wali'n eistedd o flaen plataid o gig moch ac wy, ac yn gwrando ar ei fam eto.

'Ac iddo fo gael dallt, dydi hi ddim yn mynd i olchi'r dillad ffwtbol 'ma eto. Mae hi wedi cael llond bol. A fydd o ddim yma pan ddaw hi o'r siop, mae'n siŵr?'

'Na, dwi'n chwara pnawn 'ma.'

'Chwarae wir!' Poerodd Mrs Thomas y geiriau allan nes eu bod yn clecian yn erbyn y llestri te. Ac er mai piso yn erbyn y gwynt oedd gwneud hynny, penderfynodd Wali nad oedd am ildio heb ymdrech.

'Ond mae'n bwysig cael y peffma . . . *experience* ym midffîld medda Mr Picton.'

'Picton!' Petai Mrs Thomas wedi cnoi lemwn fyddai hi ddim wedi gallu rhoi mwy o surni a dirmyg ar ei hwyneb. 'Yr hen sgamp diddim â fo. Dau dda hefo'i gilydd - a mwy o sylwedd yn y bêl nag ym mhen yr un o'r ddau.'

Gwisgodd ei chôt a chamu am y drws. Edrychodd ar ei mab a fu'n gymaint o siom iddi. Siglodd ei phen a chamu i haul gwan bore o Dachwedd. Gwyddai na welai Walter Thomas tan yn hwyr y noson honno. Byddai hithau yn ei gwely yn disgwyl clywed ei lais ansoniarus yn bloeddio'r 'Garafán Fechan Goch a Melyn' wrth fethu dod o hyd i'r goriad i'r drws cefn. Pwy faga blant?

O fewn chwarter awr i'w fam adael roedd Wali'n prysuro am y cae i wneud y gwaith paratoi angenrheidiol. Ond penderfynodd alw yng nghartref y rheolwr, Arthur Picton, ar y ffordd. Gwaetha'r modd i Wali - ond nid i Arthur efallai - roedd hwnnw'n dal yn y becws. Ond aeth Sandra ar y ffôn a chael gafael arno cyn iddo adael ar ei rownd.

'Mae o ar frys, Wali. Tyd!' anogodd Sandra.

Camodd Wali at y ffôn a'i annerch.

'Mr Picton? Wali Thomas *speaking*. Galw wnes i, ond doeddach chi ddim yma. A dyma Sandra'n cynnig ffonio. A dyma finna'n deud "does dim angen mynd i draffarth" ond mi fynnodd Sandra ffonio. A dyma fi . . .'

Chafodd o ddim mynd ymhellach gan fod Arthur yn bloeddio'n annealladwy ar y pen arall.

'Pardon? . . . Does dim angen gweiddi, Mr Picton. Dw i'n ych clywad chi fel tasach chi'n ffonio o drws nesa . . . Y? . . . O, ia, diawl - be oedd o hefyd? Rhoswch funud Mr Picton . . . Sandra, be o'n 'i isio, dwad?'

Gwnaeth Sandra ystum i ddangos nad oedd o wedi rhannu'r gyfrinach efo hi.

'O, ia! Mr Picton, dw i newydd ofyn i Sandra, ond doeddwn i ddim wedi deud wrthi hi, ond mi rydw i wedi cofio rŵan.'

Go brin bod angen nodi beth oedd ymateb Arthur Picton i'r araith gofiadwy hon. Aeth Wali yn ei flaen.

'Isio deud o'n i,' meddai'n ofalus, ''mod i ar 'y ffordd i'r cae, a meddwl tybed os oeddach chi am ddwad hefo mi, ynta dwad *later on* . . .' Seibiodd Wali am eiliad. 'Ond gan ych bod chi ddim yma, mae'n debyg mai *later on* y dowch chi . . . Ia? . . . Mr Picton? . . . Mr Picton . . .?' Roedd Arthur wedi mynd heb ddweud dim. A da o beth oedd hynny, mae'n siŵr.

Cymerodd Sandra drugaredd ar Wali a'i wahodd i'r cefn am baned a darn o Swiss Roll, y 'cynnig arbennig' o Leo's lle'r oedd hi'n gweithio.

Tua'r un adeg roedd George Huws yn cyrraedd y pentref ar gyfer y gêm. Sbonciodd allan o'r car y cafodd bàs ynddo, gafael yn ei fag Adidas, a chamu'n dalog i lawr y ffordd. Roedd hi'n dechrau bwrw rhyw law mynydd ysgafn a'r cymylau'n gorwedd yn isel ar y bryniau. Dyma'r adeg o'r wythnos y byddai George yn ei holi ei hun beth oedd o'n da yn y fath le, yn chwarae i dîm dwy a dime a rheolwr anwadal. Roedd yr ateb, wrth gwrs, yn byw yn nhŷ'r rheolwr hwnnw, ond roedd George yn dal i ofyn y cwestiwn bob dydd Sadwrn. Taflodd y meddyliau du o'r neilltu a chamu am ddrws cartref Wali. Unwaith erioed y bu yno o'r blaen, a hynny'n hwyr y nos wrth gario Wali adref ar ôl iddo'i gorwneud hi. Agorwyd y drws gan Mrs Thomas.

'Y . . . fan'ma mae Wali'n byw?' baglodd George dan wg ddidostur Lydia Thomas.

'Mae Wali Thomas wedi mynd i'r cae,' oedd yr ateb swta.

'Ond fan'ma mae o'n byw, ia?'

'Wel, hi ydi'i fam o, 'te?' Roedd Lydia Thomas yn dechrau berwi ond roedd George yn y niwl, a bu raid iddo aros i feddwl.

'O! Mae 'na dwy ohonoch chi?'

'Nac oes siŵr, dim ond y hi.'

'O.' Penderfynodd George mai gwell fyddai terfynu'r sgwrs cyn gynted ag oedd bosib, ac esboniodd ei fod wedi colli ei bads a'i joc-strap, a'u bod nhw, efallai, wedi mynd yn gymysg â'r cit. Ond doedd Lydia Thomas yn gwybod dim, ac esboniodd bod Wali Thomas wedi mynd i chwarae ffwtbol.

'Tydi Wali ddim yn chwarae, misus. *Linesman* ydi Wali,' eglurodd George yn gyfeillgar.

'*Linesman*? Ond mae Walter Thomas wedi deud wrthi hi ei fod o'n chwara midffîld ers ugian mlynedd.'

'Be?' Roedd George wedi ei syfrdanu. 'Mae o wedi bod yn deud wrth ei fam ei fod o'n chwarae ffwtbol. Wel, well i chi beidio deud dim wrthi hi 'ta - dwi ddim isio creu helynt i Wali efo'i fam.'

Daeth yr ateb fel mellten. 'Ond mae hi'n gwybod rŵan, 'ntydi?'

Sbiodd George ar y wraig o'i flaen fel pe bai hi wedi newydd esbonio Theori Berthnasedd Einstein wrtho. Gwenodd yn gam a diolch iddi cyn ei esgusodi ei hun. Cerddodd o'r tŷ fel gŵr yn dioddef o *shell shock* gan amau unwaith eto pam yn union roedd o'n dod i'r fath bentref.

★

Ar y cae roedd Wali newydd orffen carthu'r tail a gosod y rhwydi ar gyfer y gêm. Roedd hi'n chwarter wedi dau, ond doedd dim golwg ar y reff yn unlle er bod tîm Bontddu yn cyrraedd fesul dau a thri. Tipyn o syndod i Wali wrth droi am y cwt oedd gweld Tecs yn cyrraedd mor fuan. Roedd Tecwyn Parry yn edrych yn llawn gofid fel arfer, ond roedd yn fwy poenus nag arfer heddiw.

'Wedi gaddo mynd â Jean i'r dre,' meddai. 'Mae'r côr yn canu heno, a fydd raid i mi fod yn y tŷ erbyn chwarter wedi pedwar. Ydi'r reff wedi cyrraedd?'

'Na ddim eto; rhywbath o Port ydi o,' ychwanegodd Wali fel pe bai hynny'n esboniad neu'n berthnasol. Gwnaeth

Tecwyn ryw ystum 'be-wna-i?' a throi am y cwt.

Yn fan'no roedd pawb yn ymgynnull yn eithaf teidi. Ar ôl i Tecwyn gyfarch pawb a dechrau newid daeth George ato a sibrwd yn gyfrinachol.

'Hei, Tecs. Wyt ti wedi bod yn tŷ Wali erioed?'

'Do.'

Petrusodd George cyn mynd yn ei flaen, fel dyn yn camu ar lyn wedi rhewi.

'Faint o dynas sy'n byw yno?'

'Dim ond 'i fam o.'

'Wel, pan es i draw yno, Tecs . . .'

Chafodd George ddim gorffen gan Tecs.

'O! Mae o wedi ei chyfarfod hi felly?'

'Pwy?'

'Wel fo siŵr.'

'Fo? Hi? Ti'n waeth na'r blydi ddynas 'na welis i. Does rhyfadd bod Wa..aaa!'

Chafodd o ddim gorffen y frawddeg hon chwaith gan fod Tecs wedi sefyll ar ei droed noeth. Roedd Wali newydd gamu drwy'r drws.

'Dow, be sy'n bod, George? O ia, hwda, dy joc-strap di. Ac mae Mam yn deud y dylat ti olchi'r hen beth dy hun y tro nesa.'

'Diolch, Wal! Ac mi olcha i'r joc-strap yr un pryd, yli!'

Edrychodd Wali'n syn a chwarddodd pawb arall.

'Wel ia, dyna be o'n i'n feddwl 'te. Mae hwn yn ddi-ddallt weitha, Tecs; ydi wir.'

'Jôc, Wali. Jôc,' esboniodd George i ddim pwrpas cyn ychwanegu, 'Lle ge'st ti'r sowester 'na, Wali? Ti'n edrych fel adfyrt i dun sardîns. Hi! Hi!'

Camodd George yn ôl i'r gornel i newid tra aeth Wali ymlaen i gynnig crysau glân a chyngor gwael i'r chwaraewyr. Ac yn wir, i rywun o'r tu allan, roedd golwg, beth ddywedwn ni - ddiddorol - ar Wali yn ei gôt a'i het oel felen. Ond i drigolion y cwt doedd o ddim yn ddigon i godi gwên, hyd yn oed.

Y nesaf i bystylu drwy ddrws y cwt oedd y rheolwr ei hun a'i wynt yn ei ddwrn a'i het yn y llall.

'Helô, bawb! Reit, gwrandwch . . . '

'Pnawn da, Mr Picton!' Camodd Wali at ei fòs. 'Sori am y bore 'ma. Ddaru rhywun yn dad-peffma ni.'

'Do, mae'n rhaid. Be oeddat ti isio?' Wrth ofyn y cwestiwn difarodd Arthur.

'Wel, galw i ddeud 'mod i . . . y . . . ar y ffordd i'r cae, ac isio gwybod oeddech chi am ddod hefo mi, ynta oeddech chi am ddwad *later on*. Ond mi ddois i 'run fath . . . a dyma chitha wedi dwad rŵan . . . *later on*.'

Bu distawrwydd am beth amser tra gwibiai llu o feddyliau - rhai ohonyn nhw'n greulon a chas - trwy feddwl Arthur Picton. Yn y diwedd bodlonodd ar gau ei lygaid ac ebychu 'Arclwy mawr!' o dan ei wynt.

Ond nid y fo oedd yr unig un â phroblemau.

'Pwy ydi'r reff?' holodd Tecwyn.

'Tom Sutcliffe o Port. Tom *Sunshine Roof*. Newydd gyrraedd mae o. Mi fydd hi'n ddeg munud arall erbyn iddo fo newid. Felly gair bach am y pnawn 'ma.'

'Lets af a bit of hysh! Mae Mr Picton isio trafod tictacs.'

Ond doedd Tecwyn ddim yn hapus.

'Gwranda, Arthur, mae gen i broblem.'

'Oes!' ategodd Wali.

'Naci, mae Jean . . .'

'Ddudis i . . .' Wali eto.

'Does dim isio trafod domestics o flaen yr hogia ifanc 'ma, Tecwyn. Mae 'na le ac amser i betha felly, ac nid y cwt newid ydi o.'

'Cweit reit,' ychwanegodd Wali - ymateb a wnaeth i'r rheolwr amau ei hun yn syth.

'Rŵan, gwrandwch . . .' Ac aeth Arthur yn ei flaen i nodi holl wendidau'r gwrthwynebwyr gan ychwanegu manylion teuluol y byddai *Lol* yn talu'n ddrud amdanynt.

Ildiodd Tecwyn, a phan gychwynnodd y gêm chwarter awr yn hwyr gwyddai y byddai'n wynebu dewis anodd toc wedi pedwar o'r gloch.

*

Aeth y gêm yn ei blaen fel pob gêm gyda chryn dipyn o duchan a gweiddi a fawr o gyffro. Cafodd hogia Bryncoch bob anogaeth gan Arthur a Wali. Cawsant eu canmol a'u rhegi, weithiau yn yr un frawddeg. Cawsant eu gwawdio a'u clodfori a'u galw'n bopeth dan haul. Ond wnaeth o fawr o wahaniaeth. Sgoriodd Wili Bryngo gôl o du allan y penalti bocs wrth geisio croesi'r bêl at George. Cafodd Bontddu gôl lwcus wrth i'r bêl daro'r postyn a bownsio oddi ar war Tecwyn i'r gôl. Gwell fyddai peidio cofnodi ymateb Wali ac Arthur i'r digwyddiad anarferol hwn. Digon ydi dweud nad oedd yr ymateb yn ddiarth i glustiau Tecwyn.

Gyda rhyw hanner awr o'r gêm ar ôl sylweddolodd Wali bod y dyfarnwr yn gwisgo wig, a throdd gyda'r wybodaeth syfrdanol hon at Arthur.

'Mae o'n gwisgo wig ar ei ben, Mr Picton!' fel pe bai modd iddo'i wisgo rywle arall ar ei gorff.

'Dwi'n gwbod, tydw. Mae pawb yn gwybod. Pam wyt ti'n meddwl bod nhw'n 'i alw fo'n Tom *Sunshine Roof*?' atebodd.

'Pam?'

Syfrdanwyd Arthur, hyd yn oed, gan hyn.

'Pam?' gwaeddodd. 'Pam wyt ti'n feddwl, y llo? Wig - *Sunshine Roof*, ar 'i ben o, fel to . . . Arclwy Mawr!'

Chymerodd hi ond rhyw bump eiliad i Wali brosesu'r neges a dechrau chwerthin yn aflywodraethus rhwng plyciau o geisio dweud wrth Arthur dyn mor ffraeth oedd o. Gwaetha'r modd dyna'r union adeg y chwibanodd y dyfarnwr am dafliad a gweiddi ar y llumanwr.

'Pêl pwy oedd honna, leinsman? Leinsman! Ydach chi'n sbio ar y gêm 'ma?'

'Be?' Trodd Wali'n ôl i'w wynebu, ond wrth weld y dyfarnwr yn sefyll bum llath oddi wrtho dechreuodd chwerthin yn ddireol.

'Wali! Callia!' Roedd Arthur yn darllen yr arwyddion.

Camodd y dyfarnwr ymlaen a gofyn ei gwestiwn am yr eildro, dim ond i Wali gyfaddef nad oedd wedi gweld y digwyddiad.

'A be sy mor gythreulig o ddigri?' Roedd y dyfarnwr yn dechrau colli ei limpyn. Trodd at Arthur Picton. 'Pa fath o leinsman ydi peth fel hyn, Picton?'

'Un gwael!' oedd yr ateb.

'Mi fedra i weld hynny. Mae gen ti ddigon o gomedians ar y cae, Picton, heb gael un yn rhedeg y lein hefyd.' Yna gwaeddodd, '*Blues' ball*!' gan roi'r tafliad i'r Bont.

Roedd hyn yn ddigon i sobri Wali a gwaeddodd yn reddfol, 'Reff! Doedd gen ti ddim syniad eiliad yn ôl pêl pwy oedd hi!'

Anwybyddodd y dyfarnwr y sylw, ond doedd Wali ddim wedi darfod.

'Tasat ti'n tynnu'r gath lyb 'na oddi ar dy ben mi fysa'n haws i ti weld, wedyn!' A throdd at Arthur fel dyn wedi cael deg marc ar *Dalwrn y Beirdd*. Roedd llygaid Arthur, ar y llaw arall, wedi eu cau mewn ystum o anobaith.

Chwibanodd y dyfarnwr eto gan arwyddo i hogiau'r Bont ddal y bêl. Camodd at y ddau a dweud yn fygythiol wrth Wali, 'Rhowch y fflag 'na i rywun arall mwy cyfrifol.'

Protestiodd Wali mai fo oedd piau hi ac nad oedd am ildio'r faner i neb. Ond ildio fu raid, a gwaeth na hynny, gan nad oedd neb ond mam Wili Bryngo yn gwylio'r gêm, bu raid i Arthur gymryd y lluman ei hun er mawr sbort i George a thîm Bryncoch bob un; wel pob un ar wahân i Tecwyn. Doedd Arthur, wrth gwrs, ddim yn gweld y peth yn yr un goleuni, a chafodd Wali wybod hynny.

Cafodd wybod un neu ddau o bethau eraill yn ei sgîl hefyd. Ond doedd helyntion y prynhawn ddim ar ben i Arthur a'i dîm. Yn wir dechrau gofidiau oedd hyn.

Sylweddolodd Tecwyn bod ei obaith o aros tan ddiwedd y gêm cyn mynd i nôl Jean wedi diflannu rhwng y dyfarnwr a Wali. Ac felly, pan ddaeth cic gôl i Fryncoch gwaeddodd ar Arthur bod yn rhaid iddo fo fynd.

'Ro'n i wedi gobeithio y byddai gen i funud neu ddau i sbario, Arthur, ond mae hi'n rhy hwyr rŵan.'

'Be ti'n feddwl?' holodd Arthur mewn penbleth.

'Mae'n rhaid i mi fynd. Jean . . .'

'Ond Tecwyn . . .' Fedrai Arthur ddim meddwl am ddim byd addas i'w ddweud. Wyddai o ddim p'run ai i grio neu wylltio.

'Bradwr!' cynigiodd Wali o bellter diogel.

'Ia, bradwr!' bloeddiodd Arthur wedi i Tecwyn gamu i'w gar yn y pellter. Wnaeth hwnnw ddim ond codi ei ysgwyddau i ddynodi bod rhai pethau y tu hwnt i reolaeth dynion meidrol. Chwiban y dyfarnwr ddaeth â'r rheolwr yn ôl i realiti'r sefyllfa.

'Reit handi, Picton. Rhywun yn lle'r goli 'na. Lle ma'ch sybs chi?'

Edrychodd Picton o'i gwmpas fel cwningen mewn trap. Roedd y syb ar y cae yn barod am fod Graham wedi mynd â'i fam i brynu het newydd, ac roedd y glaw trwm wedi sicrhau nad oedd neb ond mam Wili Bryngo yn y cae yn gwylio. Sbiodd ar ei wats am waredigaeth.

'Be wnawn ni?' Roedd Wali wedi sleifio'n nes wrth weld picil ei fòs. Syllodd Arthur arno a chafodd fflach o weledigaeth. Fflach fach mae'n wir, ond fflach serch hynny.

'Chdi. Dos di ar y cae. Dos di i'r gôl. Pum munud sy 'na i fynd.'

Roedd llygaid Wali fel soseri. 'Be? Y fi? Ond Mr Picton, fedra i . . . A does gen i ddim sgidia p'run bynnag.'

'Picton! Rŵan!' Roedd y dyfarnwr yn colli ei amynedd yn y glaw.

Cododd Arthur y lluman fel cleddyf Damocles uwchben Wali. 'Dos!' bloeddiodd.

A mynd wnaeth Wali Thomas gan gamu'n fras ac yn araf drwy'r llaid yn ei welingtons. Edrychodd y dyfarnwr mewn angrhediniaeth lwyr wrth weld y babell felen yn symud fel *hovercraft* dros y gors.

'Fflipin hec, Affyr!' George oedd y cyntaf i ddod ato'i hun. 'Ti'n fflipin call?'

'Cau hi!' Roedd gwên ar wyneb Arthur, neu'r nesaf peth at wên, o leiaf. Melys yw dial, fel y dywedodd y bardd.

Cyrhaeddodd Wali'r gôl, gweithred oedd yn dipyn o gamp ynddi'i hun gan fod ei sbectol yn foddfa o chwys a glaw yn diferu o'r sowester. Daeth Harri draw ato fel pe bai dim wedi digwydd a gofyn.

'Wyt ti wedi chwarae yn gôl o'r blaen, wa'?'

'Do. Yn 'rysgol fach, unwaith.'

Gwenodd Harri'n gyfeillgar ac aeth draw i gymryd y gic. 'Cadw dy lygad ar y bêl ac mi fyddi di'n iawn, wa',' ychwanegodd, gan daflu edrychiad blin tuag at Arthur oedd yn dechrau mwynhau ei hun am y tro cyntaf y prynhawn hwnnw. Doedd fawr o werth i'r cyngor, wrth gwrs, gan fod y goli newydd yn cael trafferth gweld y chwaraewyr heb sôn am y bêl. Daeth y dyfarnwr draw a gofyn yn gysidrol.

'Ydech chi am dynnu'r gôt 'na?'

'Nacdw. Mae'n glawio, tydi?'

Chwibanodd y dyfarnwr a rhoddodd Harri ruban i'r bêl a'i gyrru mor bell ag y gallai oddi wrth y gôl a'i cheidwad.

Am bum munud neu ragor roedd penderfyniad Arthur yn ymddangos fel pe bai am dalu ar ei ganfed. Chwaraeai bois Bryncoch fel demoniaid wrth ymlafnio i gadw'r bêl mor bell oddi wrth Wali ag y gallent, ac yn wir daethant o fewn trwch aden gwybedyn i sgorio. Ond yn sydyn daeth cic hir i lawr yr asgell. Cafodd asgellwr de y Bont afael ynddi a thorri y tu mewn i John Bocsar.

'Rhycha fo, Harri! Rhycha fo!' daeth llais Arthur o'r lein.

Roedd y blaenwr o fewn llathenni i'r blwch cosbi a daeth i olwg y golgeidwad newydd. I fod yn fwy manwl, dyna pryd y gwelodd Wali y blaenwr, er, hyd yn hyn, doedd o ddim gant y cant yn sicr pa un o'r ddau gorff oedd y blaenwr a pha un oedd Harri.

'Tyd allan, Wal!' ceisiodd George fod o gymorth. Ond roedd traed y goli wedi eu hoelio i'r llawr.

'Allan, y coc-oen! I'w draed o!' Cafodd gorchymyn Arthur effaith drydanol ar Wali. Rhuthrodd allan drwy'r pyllau dŵr a'r mwd a'r tail a'i gôt yn codi fel pais Marilyn Monroe o'i gwmpas a chwifiodd ei freichiau yn yr awyr fel bugail yn ceisio gyrru defaid i gorlan. Pan gododd y blaenwr ei ben i anelu am y gôl sylweddolodd nad oedd 'na fawr ohoni yn y golwg y tu ôl i'r ddrychiolaeth felen. Penderfynodd beidio ergydio. Tarodd y bêl i'r dde yn ysgafn heibio i Wali a throdd yn sydyn i'w dilyn. Ond roedd Wali'n dal i hwylio'n ei flaen.

'Deifia!' gwaeddodd Harri. 'I'r chwith, Wali!'

Ceisiodd Wali stopio, ond doedd dim gafael gan y welingtons. Sgidiodd yn ei flaen gan daro'r blaenwr chwim i'r awyr fel dolphin mewn sw fôr. Penalti!

Chwibanodd y dyfarnwr. Gwaeddodd pawb ar draws ei gilydd.

'Reff! Reff! Baglu ar 'nghôt i wnaeth o!' protestiodd Wali.

'Pa ryfedd?' atebodd hwnnw gan wenu'n sbeitlyd. 'Roeddech chi fel pafiliwn steddfod yn dod amdano fo!'

Cerddodd Wali'n ôl yn araf am y gôl.

'Ar y lein 'na, goli. A dim symud, cofia.' Roedd Tom *Sunshine Roof* yn mwynhau ei hun er gwaetha'r gath wlyb ar ei ben.

Daeth Arthur o rywle wedi colli ei wynt yn lân.
'Be wna i, Mr Picton?'
'Wel, tria neidio i'r ochor.'
'Pa ochor?'
'Unrhyw blydi ochor!'
Ar hynny digwyddodd peth rhyfedd arall yn y pnawn hwn o ryfeddodau. Tynnodd Wali ei sbectol a'i chynnig i Arthur. Syllodd hwnnw'n hurt.
'Ond fyddi di ddim yn gallu gweld, wedyn.'
'Tydw i ddim yn meddwl 'mod i isio gweld,' a throdd Wali i wynebu'r anochel.
Chwibanodd y dyfarnwr. Disgynnodd Wali i'r dde. Aeth y bêl i'r chwith - a heibio, ar y tu allan, i'r postyn. Banllefau gan dîm Bryncoch. Chwibanodd y dyfarnwr eto.
'*Take it again*. Goli wedi symud!'
Ar ôl pentyrru sen ar y dyfarnwr aed ati i ailgymryd y gic. Y tro hwn rhoddodd blaenwr y Groes gic mul i'r bêl a fyddai wedi chwalu'r rhwyd yn rhacs, pe bai wedi cyrraedd y rhwyd. Am ryw reswm roedd Wali wedi cymryd y reff ar ei air ac heb symud gewyn y naill ffordd na'r llall hyd nes i'r bêl ei daro rywle rhwg ei fotwm bol a thop ei gluniau. Plygodd fel enseiclopedia yn cau, a rhoi rhyw ebychiad bach, digalon, a disgyn yn ei flaen ar ei wyneb yn y llaid yn farw i'r byd.
Pan ddaeth ato'i hun roedd Arthur, Harri a George yn ffysian uwch ei ben.
'Sori, Mr Picton,' griddfanodd.
'Am be, washi?'
'Y gôl. Methu symud. Sownd yn y peffma gwartheg.'
'Doedd 'na'r un gôl, Wali. Mi safist ti'r benalti!'

'Do?' Ond cyn iddo gael cyfle i feddwl teimlodd law George yn bodio'i gorff. Roedd George yn edrych yn bryderus iawn wrth deimlo cnawd meddal a soeglyd Wali o dan ei gôt.

'Ydi fan'ma'n brifo, Wal?' holodd George.

'Be? Y? O, na . . .' crebachodd wyneb Wali fel un mewn poen.

'Be sy, washi?' Roedd consýrn Arthur yn fawr.

'Wedi malu?' holodd Wali.

'Be sy wedi malu, Wali bach?' gofynnodd Arthur yn dyner.

'*Swiss roll* ges i gen Sandra bora 'ma. Sbesial offyr. Wedi malu'r *Swiss roll,*' a llithrodd yn ôl i'r tywyllwch du.

★

Mawr fu'r dathlu yn y Bull y noson honno, a'r arbediad yn gwella ac yn troi'n fwy syfrdanol wrth yr awr. Ond erbyn tua'r naw roedd yr holl gyffro a'r clod yn ormod i Wali, a phenderfynodd mai gwely cynnar fyddai orau.

Pan gyrhaeddodd y tŷ roedd ei fam ar droi am y gwely. Edrychodd yn amheus arno o'i weld yn ôl mor gynnar. Siarsodd ef i gloi'r drws a rhoi'r gath allan. Yna anelodd am y llofft. Fedrai Wali ddim dal.

'Mam, wnewch chi byth gesio beth ddigwyddodd heddiw.'

'Na wnaiff.'

'Triwch. Dowch.'

'Na. Nos da.' Doedd chwarae *Trivial Pursuits* ddim yn dod yn naturiol i Lydia Thomas.

'Mi safies i benalti.'

Stopiodd Lydia Thomas wrth ddrws y gegin fyw. Anadlodd yn ddwfn.

'Mam, mi safies i benalti, ac mi gawson ni *draw*!'

Byddai'r balchder a'r angerdd yn llais Wali yn ddigon i doddi'r galon galetaf, fe dybiech, ond roedd Lydia Thomas yn gwybod yn well.

'Wali Thomas! Dydi hi ddim . . . '

'Roedd Tecs wedi gorfod gadael y cae.' Pentyrrodd Wali'r manylion i brofi ei eirwiredd.

'Rhag 'i gywilydd o! Yn deud celwydda wrth ei fam ei hun!'

'Na, Mam. Mae o'n wir!' Roedd Wali'n ymbil.

'Ers ugain mlynedd. C'lwydda; dim byd ond c'lwydda a hitha wedi 'i fwydo fo, a'i wisgo fo.'

'Na, gwrandwch . . .'

Ond doedd ei fam ddim am wrando. Roedd y gath o'r cwd ers ymweliad George.

'Felly dim mwy am y midffîld a'r *experience* yn y tŷ yma. Thanciw. Byth. Nos da!'

Aeth Wali i'w wely y noson honno wedi profi pegynau o orfoledd a siom mewn un diwrnod y bydd rhai pobl yn treulio oes heb eu cael. Ond wrth lithro i afael Huwcyn cwsg, ymrithiodd Stadiwm San Siro o'i flaen, a Chymru yn rownd derfynol Cwpan y Byd yn wynebu penalti dyngedfennol. Safai'r golgeidwad yn disgwyl, ei geg wedi ei phletio'n dynn a'i lygaid wedi eu hoelio ar y bêl. Distawodd y dorf. Dyma'r dyn mwyaf unig yn y byd i gyd. Llifai'r chwys i lawr ei gôt oel felen . . .

HYD ONI'CH GWAHENIR . . .

Golygfa: Capel Ebenezer, Bryncoch.
Y Gweinidog: George Winston Huws, a gymeri di y ferch hon, Sandra Elizabeth Picton, yn wraig briod i ti, ac a addewi di ei pharchu hi a'i chadw hi hyd oni'ch gwahenir chi gan angau?
George: Ai.
Sandra: Gwnaf.
George: Gwnaf ai.
Arthur Picton: Asiffeta!

Priodwyd Sandra a George yn groes i ddymuniad ei thad ar ôl diwrnod a oedd yn cynnwys tipyn o gomedi, joch o félodrama a thalp go-lew o ffars, fel y cofiwch, mae'n siŵr. Ond nid oedd y perfformiad yn gyflawn eto wrth i'r gwahoddedigion gyrraedd ar gyfer y brecwast priodas a oedd i'w gynnal amser te.

Plas Pen-y-Bryn oedd y lleoliad: gwesty yn y wlad a fu yn blasty bach digon taclus rhyw oes cyn i rywrai godi estyniadau to ffelt i bob cyfeiriad o'i gylch nes ei guddio'n llwyr. Roedd nifer o ystafelloedd yn y gwesty: Ye Olde Logge Cabin Ballroom, The Keltic Feast Restaurant, The Toasted Barde Grill, The Gelert Music Lounge *with live Welsh music on Friday and Saturday*. Doedd dim arwydd a oedd cerddoriaeth Gymreig farw yn cael ei chreu ar nosweithiau eraill. Ac, yn olaf, The Drovers Wild West Saloon Bar.

Wrth i Tecwyn, y gwas, geisio hysio'r criw i mewn i'r

Keltic Feast Restaurant roedd hi'n amlwg bod tair diadell wahanol wedi hel at ei gilydd y pnawn hwnnw. Roedd teuluoedd Arthur ac Elsie ar y naill law, teulu'r Huwsiaid ar y llall, ac yn y canol roedd cyfeillion y pâr ifanc. Roedd cyfeillion y pâr priodasol yn setlo i mewn am noson hir; rhyw nos Sadwrn arferol mewn siwt a ffrogiau, ond bod bwyd ar y dechrau yn hytrach nag ar y diwedd.

Tueddu at y canol oed a throsodd oedd teuluoedd Arthur ac Elsie, ac yn cynnwys nifer o fodrabedd ac ewythrod eithaf sỳber a hen ffasiwn. Un peth arall a'u nodweddai oedd diffyg plant a phobl ifanc. Doedd y Pictoniaid a'r Thomasiaid ddim yn deuluoedd epilgar ac felly anaml y bydden nhw'n cwrdd, ar wahân i ambell angladd. Ac yn ôl pob golwg mae'n bosib y byddai rhai ohonyn nhw yn hapusach mewn angladd.

Roedd eithriadau, wrth gwrs. Dyna Yncl Ior, brawd ieuengaf Elsie, a oedd eisoes ar y Glenmorangie. Roedd campau Yncl Ior ar y bỳs deg o'r dref yn rhan o chwedloniaeth y fro ac yn destun cywilydd i'w deulu. Byddai Arthur ei hun yn hoff o ddefnyddio enw Yncl Ior pan gâi ei gyhuddo gan Elsie o ryw ddiffyg neu'i gilydd.

Ar ben hyn roedd mymryn bach o densiwn rhwng dwy ochr y teulu am fod cred yn ei theulu hi y gallasai Elsie fod wedi gwneud yn well na phriodi Arthur Picton. Cyhuddiad nad oedd yn hawdd ei wrthbrofi. Ond heddiw roedd un peth yn uno'r ddwy ochr, sef y sicrwydd bod Sandra'n gwneud camgymeriad gwaeth na'i mam wrth briodi George Huws.

Yn y cyntedd lle'r oedden nhw wedi hel at ei gilydd yn un criw llwydaidd, fel defaid mewn storm eira, syllai'r

Pictoniaid dros y sieri melys i mewn i'r bar coctel lle'r oedd yr Huwsiaid wedi gwersylla dros dro yn griw lliwgar, swnllyd a gwlyb.

Gan fod tuedd ynddynt i briodi a phlanta'n ifanc, anodd iawn oedd penderfynu pwy oedd y rhieni a'r modrabedd a phwy oedd y plant o blith yr Huwsiaid. Roedd priodasau'n digwydd yn gyson yn y teulu ac amryw yn dathlu dwy neu dair mewn oes. Roedd y sieri wedi ei gladdu ers meityn a diodydd amryliw a rhyfeddol ac ofnadwy yn nwylo'r merched: popeth o'r Blue Lagoon i'r Bilabong Knee Trembler.

Ychydig o'r neilltu ac o'r tu ôl i biler oedd wedi ei lapio mewn tyfiant o blastig gwyrdd llachar syllai'r Parchedig Ronald Jones ar yr olygfa. Roedd ganddo gur yn ei ben. Y prynhawn hwnnw roedd o wedi claddu un, priodi dau ac wedi dweud a chlywed tocyn go-lew o gelwyddau. Roedd arno fo eisiau mynd adref. Na, a bod yn fanwl gywir, roedd o'n dyheu am fynd adref i glydwch ei stydi. Dim ond ei deyrngarwch i Elsie Picton a'i cadwai yn y fath le. Roedd hi'n gefn mawr i'r boreuau coffi oedd yn cadw'r eglwys yn lled fyw. Aeth un o ferched ifanc yr Huwsiaid heibio iddo yn ogleuo fel siop fferyllydd ac yn gwisgo lliw haul a fawr o ddim arall. Teimlodd gryndod ym mhwll ei stumog a llaw drom ar ei ysgwydd.

''Dach chi'n edrych fel dw i'n teimlo, Mr Jones.'

Gwenodd y gweinidog. 'Wel, mae priodas yn achlysur llawen iawn bob amser, Mr Picton.'

'Llawen! Peidiwch â deud clwydda, Mr Jones - dyma'r diwrnod tristaf fuodd ar 'y mhen i rioed. Mi ddifarith, gewch chi weld.'

Roedd y gweinidog ar goll. 'Tybad? Na. Mae Sandra'n hogan gall iawn - wedi etifeddu synnwyr cyffredin ei mam . . . a doethineb ei thad,' rhuthrodd i ychwanegu.

'Peidiwch chi â dechrau rhoi'r bai arna i, Mr Jones. Dw i wedi deud digon wrthi hi. Ond does neb yn gwrando arna i wedi mynd.'

Tawodd y gweinidog mewn anobaith. Ond doedd Arthur ddim am dewi.

'Sbiwch arnyn nhw mewn difri, Mr Jones - mewn difri calon.' Ysgydwodd Arthur Picton ei ben wrth weld yr Huwsiaid yn gwneud peth mor ofnadwy â mwynhau eu hunain. 'Mae hi wedi mynd i'r diawl, Mr Jones bach - sgiwsiwch yr araith. Sbiwch arnyn nhw. Pryd fuodd un o'r rhain ar gyfyl capel cyn heddiw.'

'Ia wir.' Cytunodd y gweinidog tra'n meddwl pa bryd y gwelsai Arthur Picton ei hun mewn gwasanaeth.

Sylweddololodd Arthur ei gamgymeriad. 'Hidiwch befo, Mr Jones bach. Mi rydach chi'n lwcus. O leia mi fydd y cyfan drosodd i chi mewn awr go-lew. Mi fydda i'n gorfod byw efo'r anfadwaith am fy oes. Dyna i chi gosb, Mr Jones; dyna i chi groes.'

Gwenodd y gweinidog yn gam ac, o arfer oes, cynigiodd air o gysur.

'Yr addfwyn rai, Mr Picton. Yr addfwyn rai . . .'

'Padyn?' Syllodd Arthur Picton mewn dryswch.

'"Yr addfwyn rai . . ."' ond sylweddololodd nad oedd Arthur Picton yn ei ddeall - profiad cyffredin i weinidog, wrth gwrs, ac ychwanegodd, '" . . sy'n dwyn y bai", Mr Picton, o hyd, o hyd.'

'O, ia! Debyg iawn, debyg iawn. Eifion Wyn . . .

Sgiwsiwch fi. Lot i'w wneud.' Gadawodd Arthur Picton gan feddwl nad oedd hi'n rhyfedd bod y capeli'n wag. Syllodd y gweinidog ar gefn llydan y tad gan feddwl am ddyrys ffyrdd Rhagluniaeth.

Erbyn hyn roedd rhai o'r gwesteion mwy cymedrol wedi dod o hyd i'w seddi. Eisteddasant fesul dau neu dri o dan bennau creaduriaid rhyfeddol oedd yn crogi ar y waliau: yr uncorn, eirth, bleiddiaid, llewod, byffalo ac anifeiliaid Celtaidd eraill. Yn eu plith roedd Anti Lora, cyfnither i Arthur, a oedd yn rhoi'r cyfarwyddiadau olaf i'w gŵr Edgar ac yn astudio'r cyllyll a'r ffyrc yn fanwl rhag bod rhyw lychyn arnyn nhw.

'Fedrwch chi ddim bod yn rhy ofalus, Edgar, mewn llefydd fel hyn. Duw a ŵyr yng ngheg pwy fuodd y fforc 'ma ddiwetha.'

Cytunodd Edgar trwy godi'i aeliau. Doedd o ddim yn ddyn i wastraffu geiriau.

'A chofiwch mai y llwy ar yr ochor ydi'r un ar gyfer y sŵp. Un y *dessert*, y pwdin i chi a fi, ydi'r un ar draws. Trïwch gofio hynna o leia. Dw i ddim isio i chi'n dangos ni i fyny o flaen y rhein,' a throdd ei golygon tua'r Huwsiaid oedd yn llwytho'r byrddau â diodydd fel pe baent ar fin cychwyn ar daith ar draws y Sahara - neu newydd gyrraedd ar ôl ei groesi.

Drws nesaf i Anti Lora gosodwyd Yncl Ior, sy'n awgrymu bod gan Sandra synnwyr digrifwch. Cyrhaeddodd hwnnw â chlamp o whisgi yn ei ddwrn tolciog.

'O chi sydd yna, Iorwerth! Dydach chi'n newid dim mi wela i,' meddai Anti Lora wrth lygadu'r ddiod. 'Fyddwch chi ddim yn adrodd yr hen bennill mochynnaidd hwnnw, gobeithio, fel y gwnaethoch chi ym mhriodas Grace ac Arwel druan.'

Gwenodd Yncl Ior yn ei hwyneb. Gwenodd Edgar yn ei chefn, wrth gofio'r sioc a barodd y pennill chwarter canrif ynghynt.

'Sut oedd o'n mynd, dudwch?' holodd Yncl Ior yn ddiniwed.

Plethodd Anti Lora ei cheg i ddangos ei dirmyg ond plygodd Edgar ymlaen.

'Roedd hen lanc o ardal y Bala . . .'

'Edgar! Peidiwch chi â meiddio! Ych â fi!' Saethodd rhyw gryndod o ffieidd-dod drwy ei chorff.

Setlodd Edgar yn ôl â'i lygaid yn dawnsio, fel bocsiwr a gawsai ei waldio'n ddidrugaredd am ddeg rownd, yn glanio un ergyd lân ond ddi-nod ar drwyn ei wrthwynebydd. Dyn ennill brwydrau bychain, ac nid rhyfeloedd, oedd Edgar.

'Dowch rŵan. Pawb at y bwrdd. Tyd, Harri, a helia'r rheina o'r cefn.' Roedd Tecs yn ei waith yn ceisio corlannu'r praidd. Ond roedd Arthur wedi cornelu rheolwr y gwesty, rhyw strimyn o beth oedd newydd gael swydd a mwstash am y tro cyntaf.

'A chofia, dw i ddim isio dim o'r stwff drud 'na - y Moheranshandyn - neu be bynnag. Rwbath glyb efo swigod neith yn iawn. Mi fydd y rhan fwyaf o'r diawlad yn rhy feddw neu'n rhy ddwl i wbod y gwahaniaeth. Ti'n dallt? Ac un botal i bob bwr' - a dw i ddim yn talu am y drincs seicatelic 'na mae'r rhain yn 'u hyfad. Ti'n dallt? Reit. Tyd â'r bwyd reit handi i ni gael mynd o'ma.'

'Tyd, Arthur!'

Bwytawyd y cinio a'r pwdin a daethpwyd at yr areithio. Arthur gafodd y gwahoddiad cyntaf. Doedd y bwyd ddim wedi gwella'i hwyl, a doedd ei wraig ddim wedi llwyddo i'w dawelu chwaith.

'Dowch, Arthur bach, 'dach chi'n edrych fel 'sach chi mewn angladd,' anogodd Elsie.

'Mi rydw i, tydw? Mewn un ddwbwl.'

'Pleser mawr ydi cael gofyn i Arthur ddeud gair bach. Arthur.'

Cododd yn araf ar ei draed.

'Annwyl gyfeillion, Mr a Mrs Huws a'r teulu lluosog. Ydach chi'n medru 'nghlywad i'n y bar?'

Daeth banllef o chwerthin i ganlyn y sylw hwn, yn arbennig o gyfeiriad teulu'r Huwsiaid a oedd bellach mewn hwyl i chwerthin am unrhyw beth, o seremoni'r orsedd i Bob Monkhouse. Cymerodd Arthur gip ar yr araith yn ei ddwylo. Syllodd arni am rai eiliadau ac yna plygodd y papur a'i stwffio i'w boced. Anadlodd yn ddwfn a dechrau o'r frest.

'Dw i'n hynod o falch o weld bod Mrs Huws yma hefo ni ac wedi cael adferiad llwyr ar ôl yr anffawd hefo *punch* Nadolig ei mab. Ac o sôn am George be fedra i ei ddeud amdano nad ydw i wedi ei ddeud o ganwaith o'r blaen?'

'Deud bo ti'n licio fi, Affyr. Ha! Ha!'

Gwenodd Arthur. 'Un digri ydi'r George 'ma, Mr a Mrs Huws - comidian go-iawn,' ac edychodd dros ben George at ei rieni.

Syllai Mrs Huws gyda balchder ar ei mab. Gorweddai ei gŵr yn ôl yn ei gadair a golwg fodlon ar ei wyneb; golwg dyn a oedd wedi dechrau ar y Johnny Walker rai oriau yn rhy gynnar.

'Can I also take the opportunity to thank Mabel and Norman from Wigan for the toast rack. Very nice . . . and very useful for . . . making toast . . . among other things.'

Dihangodd yn ôl i'r Gymraeg. Gostyngodd ei lygaid at Elsie a oedd yn benderfynol o beidio â gadael i ddim - yn enwedig ei gŵr - darfu ar ei mwynhad o'r achlysur.

'Heddiw mae fy meddwl yn hedfan yn ôl dros ysgwydd y blynyddoedd - chwarter canrif a mwy pan oedd Elsie fan'ma yn cario Sandra. A dw i am gyfadda, am y tro cyntaf yn gyhoeddus, mai mab rown i 'i isio y tro hwnnw - rhyw John Charles neu Tommy Jones bach. Ond fel arall y bu petha. Ond cofiwch chi, fyswn i ddim yn newid dim. Mae Sandra wedi bod yn bopeth i ni'n dau. Cannwyll ein llygaid fel y basa Eifion Wyn wedi deud, tasa fo'n dal hefo ni. Dw i'n 'i chofio hi'n mynd i'r ysgol am y tro cynta yn y ffrog fach binc honno a ruban pinc yn 'i gwallt - digon o ryfeddod. A dwi'n 'i chofio hi'n dod adra o'r ysgol fawr - a'i gwallt yn binc! A dw i'n 'i chofio hi hefyd, fel petai'n ddoe, yn dod â'i chariad cyntaf adra - wel, i'r cwt yn y cefn a deud y gwir.'

Bu saib, ac ennyd o ddistawrwydd.

'Hen hogyn bach iawn oedd o hefyd. Ond dyna ni, mae hynna i gyd o'r tu ôl iddi bellach. Fe wnaethon ni - Elsie a fi - ein gorau trosti, a lle George ydi cymryd y cyfrifoldab bellach.'

Roedd llaw Arthur Picton fymryn yn grynedig a daeth deigryn i'w drwyn.

'I mi gael benthyg darlun o fyd y bêl gron - a pham lai gan mai dyna a ddaeth â'r ddau at 'i gilydd. Mae'r chwiban wedi chwythu heddiw ar gêm bwysica'u bywydau. Does 'na'r un reff i gadw trefn, fydd Wali ddim ar y lein i godi'i luman am gamsefyll, ond mi fydd y rheolwr ar gael o hyd i roi gair o gyngor os bydd angen. Ac mae profiad yn bwysig bob amser i bob tîm.'

Roedd George yn meddwl am rai o'r cynghorion a gawsai gan Arthur dros y blynyddoedd, pethau megis, 'Ti fel rhech!' a 'Dos â dy draed i'r efail!' a phethau cyffelyb. Ond fedrai o ddim cofio unrhyw beth a fyddai o fudd iddo yn ei sefyllfa newydd. Ond roedd Arthur ar fin cyrraedd uchafbwynt ei berorasiwn.

'Gêm i'r tîm ydi hi. Gêm i'w chwarae'n galed ond yn lân hyd nes i'r Reffarî mawr - fyny fan'na - chwythu'r olaf bib.'

Rhoddodd Arthur ei law allan a'i rhoi ar ysgwydd ei annwyl Elsie.

'Mi fues i'n lwcus i gael *centre half* fel Elsie 'ma. Fuodd 'na neb mor driw i'r tîm. Hi oedd, a hi ydi cefn yr hen dîm bach 'ma yn Llys Orwig. A dw i'n gwbod y bydd Sandra hefyd yn rhoi o'i gora. Ac mi rydw i'n gweddïo y bydd y *centre forward* yn gwerthfawrogi gwaith ei *centre half* a'i gapten newydd. Hir oes i'r ddau. Ga i gynnig y llwncdestun? George a Sandra.'

Llyncodd pawb eu diod, ar wahân i Mr Huws, y tad. Roedd o newydd syrthio i gysgu dan ddylanwad yr araith.

Tarodd George ei wydryn ar y bwrdd a chronnodd deigryn yng nghornel ei lygad dde. Roedd o un ai dan deimlad neu dan ddylanwad y ddiod swigod uffernol yr oedd Arthur wedi ei harchebu.

Eisteddodd Arthur i lawr a thaflu golwg sydyn i gyfeiriad ei ferch. Roedd hi'n gwenu a rhoddodd winc gyfeillgar arno.

'Diolch, Dad. Grêt.'

'Popeth yn iawn, hogan. Croeso.'

Roedd Tecs ar ei draed ac yn esbonio mai tro George oedd hi rŵan i ateb.

'*Here goes*, Sand. Os eith hi'n nos arna i, dw i'n mynd i ffeintio, iawn?'

Cododd ar ei draed a thynnu hen amlen o'i boced cyn dechrau.

'Haia ffans . . .' dechreuodd. 'Heb anghofio Affyr!' Chwarddodd pawb. Pawb ar wahân i Arthur. 'Na, jôc bach, Affyr. Wel, dau peth sy isio fi gneud rŵan medda Sand . . . a . . . 'dw i 'di anghofio'r ddau - ha, ha!'

Sibrydodd Sandra rywbeth o dan ei gwynt.

'O, ai. Diolch i Affyr ac Elsie am y bwyd bendi . . . bendi . . . ffantastic ydan ni wedi cael, ac yn arbennigs am y siampên. Dw i'n meddwl mai Affyr nath o allan o hen sana yn y cefn! Na. Siriys rŵan. Diolch. A wedyn y breidsmêd, y morwyn. Mae'n gwrthod deud wrtha i lle mae hi'n morwyn, ond mae'n edrych yn ffantastig tydi? Felly ga i gynnig llwnc-tostyn i Helen. Diolch. Wel dyna fo yr *official part* i'r *speech*.

'Mae lot o bobol wedi gofyn i fi, ar ôl clywad bod fi a Sand yn priodi, sut mae blôc cyffredin fatha fi wedi cael bachiad hefo hogan smart a chall fatha Sand . . .'

'Digon gwir.' Dan ei wynt y murmurodd Arthur y geiriau ond yn ddigon uchel i George ei glywed.

'Wel, ar ôl meddwl am y peth, mi wnes i ofyn i blôc sy wedi gneud peth tebyg o 'mlaen i - Affyr Picton. A 'dach chi'n gwbod be nath o? Na? Gafael yn fy llaw i a chicio fi yn y gŵlis, ha, ha! Na . . . na . . . jôc bach oedd honna. A dw i'n gwbod bod Affyr yn licio jôc. Dyna pam mae o'n manijyr tîm Bryncoch, 'te?'

Gwyrodd Elsie Picton ei phen at ei gŵr a sibrwd, 'Tynnu'ch coes chi mae o, Arthur.'

Roedd hwnnw'n gwenu trwy'i ddannedd a heb symud y wên wirion sibrydodd, 'Mi dynna i hi fy hun a'i gnocio fo ar 'i ben hefo hi os na watshith o.'

'Ond i fod yn siriys am funud, dw i'n teimlo fod fi ac Affyr yn dechra dallt yn gilydd rŵan ai. Ond problem Affyr ydi fod o fel dynas ar deiet sy'n gweld bar o Bounty. Mae hi'n meddwl 'i bod hi'n casáu'r Bounty, ond *in fact* mae hi'n crêfio amdano fo. A fel 'na mae Affyr hefo fi. Mae o'n meddwl fod o'n casáu fi ond yn y bôn mae o isho bod yn fêts mawr hefo fi. A rŵan bydda i'n dod i fyw ato fo cawn ni jans i ddod i nabod ein gilydd yn iawn, 'te Affyr? Mi fyddwn ni fel tad a mab, Affyr, gei di weld.'

Trodd Arthur at Elsie mewn dychryn.

'Pwy ddudodd wrth hwn eu bod nhw'n cael byw acw? Dros 'y nghrogi y ceith o ddod acw i glwydo fel cyw gog. Aw!'

Cafodd gic nerthol o dan y bwrdd gan Elsie, ac fe gaeodd ei geg.

'Ond chwara teg, dw i isio diolch i Elsie ac Affyr am neud Sandra. Dim ond un ddaru nhw ond mi wnaethon yn saff bod nhw'n gneud job iawn tra oeddan nhw wrthi. Thancs, Elsie ac Affyr.'

Cafwyd cymeradwyaeth deilwng i gampwaith y rhieni ac yna distawrwydd am rai eiliaidau cyn i George ailgychwyn.

'Mi gafodd Arthur ac Elsie bethau'n iawn tro cynta, ond mi gafodd Dad a Mam lot o *dummy runs* cyn cael y fformiwla'n iawn - hefo fi. A dw i am diolch i Mam a Dad am bob dim dw i 'di gael gynnyn nhw.' Ac edrychodd draw i'w cyfeiriad. 'Wel, diolch Mam; wna i diolch i Dad 'rôl iddo fo ddeffro. Mae heddiw wedi bod yn straen mawr arno fo. Achos fi oedd yr unig un o'r hogia sy'n dal adra 'rôl i Kelvin gael 'i shopio am neud job ddaru o ddim - a 'dan ni'n gwbod hynny ffor e ffact, achos 'dan ni'n nabod y boi nabiodd y JCB. Mae o hefyd yn perthyn i ni. Ond achos bod 'i wraig o'n disgwyl mi gymrodd Kelvin y rap. A dyna lle mae o rŵan yn Merthyr Tydfil yn Walton. Felly, *to absent friends*. Gawn ni munud o tawelwch plîs.'

Yn y munud hwnnw roedd meddyliau gwahanol iawn yn gwibio trwy feddyliau'r gwesteion. Edrychai Arthur fel un yn ceisio dychmygu beth a wnaethai i haeddu'r fath dynged.

'Ac i gorffan dw i am diolch eto i Sandra. Dydan ni ddim wedi ryshio i priodi. Mi fuodd hi'n pledio ar 'i gliniau hefo fi i priodi hi, ond ddudis i do'n i ddim digon da i Sandra, dyn fatha fi, heb job, heb bres, heb ddim byd ond gwd lwcs a *charm*. A wedyn dyma fi'n meddwl am Affyr, a mi ge's i gweledigaeth. Os oedd Elsie wedi medru cymryd Affyr fel gŵr, mae gobaith i finna hefyd. A dyna ni. Diolch yn fawr.'

Ac eisteddodd i gymeradwyaeth frwd ei deulu.

Wedi i George orffen teimlodd Tecwyn reidrwydd i ddweud gair o brofiad. Atgoffodd bawb mai Wali ac yntau fu'n gyfrifol am ddod â'r ddau oedd yn priodi at ei gilydd i ddechrau pan lwyddasant i berswadio Arthur ym mhwyllgor y clwb pêl-droed i gynnig lle i George yn y tîm. Ond pan welodd yr olwg yn llygaid Arthur wedi iddo adrodd y stori, penderfynodd mai'r peth callaf i'w wneud oedd cadw'i sylwadau yn fyr a gwahodd cyfeillion y pâr ifanc i ddweud pwt.

Y gyntaf ar ei thraed oedd Anti Lora. Credai Lora'n gydwybodol mai'r rheswm y câi ei gwadd i briodasau oedd ei dawn farddonol a fu'n addurno'r papur bro yn fisol ers ei ddechrau.

'Elsie ac Arthur, Mr a Mrs Huws a'r teulu - y rhai sy dal yma.' Cyfeiriad oedd hyn at y rhai o'r Huwsiaid oedd yn teithio rhwng y Drovers Wild West Saloon Bar a'r stafell fwyta yn cario hambyrddau yn drymlwythog o ddiodydd.

'Ga i ddiolch ar ran Edgar a finna am y gwahoddiad i rannu'r achlysur hapus hwn hefo chi, a diolch am y bwyd bendigedig. Cyfres o benillion sy gen i i chi, rhyw air o gyngor i'ch helpu chi fwynhau eich bywyd priodasol, fel y mae Edgar a finna wedi gneud - yntê, Edgar.' Gwenodd Edgar yn ddewr. 'Wel dyma nhw:

O'ch blaen mae ffordd yn dirwyn,
Un galed, flin a maith,
Yn llawn o demtasiynau
I faglu dynion ar eu taith.

Bydd dagrau yn eich aros
A thrychinebau lu,
Ac ni fydd pleserau gwag y llawr
Yn gymorth hawdd i chi.

Fy nghyngor ichi felly
Yw parchu'r sanctaidd Sul
A chadw 'mhell o lwybrau'r sarff
A dilyn y llwybr cul.

Diolch yn fawr.'

'Joli iawn,' oedd sylw Arthur wrth Elsie.

'Ti'n meddwl bod ni'n gneud y peth iawn, Sand?' holodd George.

Diolchodd Tecwyn am y cyngor gwerthfawr ac edrychodd o'i gwmpas am gyfraniad arall. Pwniodd Sandra ef a chyfeirio at enw ar ddarn o bapur.

'Dw i'n credu bod gan Anti Phyllis air i'w ddeud. Anti Phyllis, os gwelwch yn dda.'

Unwaith y crybwyllwyd enw Anti Phyllis daeth yr Huwsiaid o'r bar yn ôl at y byrddau. Hi oedd llefarydd swyddogol teulu'r Huwsiaid ar achlysuron fel hyn oherwydd, er bod ganddyn nhw ddigon i'w ddweud, doedden nhw ddim yn hoff o ddweud dim yn gyhoeddus. Byddai George yn honni mai'r unig siarad cyhoeddus a wnâi ei deulu oedd mewn llysoedd barn, ac mai *'not guilty, your Honour'* oedd cynnwys pob un o'r areithiau hynny.

Gwraig rywle rhwng y deugain a'r hanner cant oedd Phyllis, ond un wedi ei chadw'n dda. Gwallt wedi ei dorri yn y steil ddiweddara i gyrraedd y cyffiniau, a'i dillad yr un fath.

'George, Sandra, Mr a Mrs Picton, Dilys a Fred,' dechreuodd, gan lwyddo i roi rhyw dinc o ddirmyg yn y 'Fred' a awgrymai nad trwy ddamwain y daethai'n olaf yn y rhestr. Nid bod Fred wedi sylwi. Yr oedd ymhell y 'tu hwnt i fawl a sen'. Aeth Phyllis yn ei blaen.

'Fel mae'n teulu ni'n gwbod un sâl ydw i am siarad o flaen pobol.'

Prin y daethai'r geiriau o'i cheg nad oedd y teulu'n bloeddio eu cefnogaeth fel *cheerleaders* mewn gêm Superbowl. '*Rock on*, Phyl! *Sock it to 'em!*'

'Ond mae'n rhaid i rywun siarad dros 'rhen George. A dw i isio deud - ac mi ddeuda i o - mai George ydi fy ffefret i o holl hogia del Belle Vista. Leciwn i fod wedi 'i briodi o fy hun - ond 'i fod o'n fab i'n chwaer i!'

Doedd neb a adwaenai Phyllis yn credu hynny, wrth gwrs. Doedd perthynas deuluol ddim yn debyg o rwystro Phyllis mewn materion cnawdol. Ond stori arall ydi honno.

'Na, dw i'n 'i gofio fo'n dwad acw pan fydda'r genod 'cw yn ddim o betha, ac fel y bydda George yn dod trwy'r drws ffrynt mi fyddan nhw'n diflannu trwy'r drws cefn i guddio yng nghwt y *gerbils*. Un garw fuodd o 'rioed. Digon o hwyl. Dw i'n cofio pan glymodd o ddwy roced wrth gynffon cath Harri Homar ar ôl i hwnnw - wel, dim ots be ddaru o - a'u tanio nhw. Mi gollodd Harri 'i gwt tŵls yn y tân, ond mi gafodd gath Manx am ddim.

'A dyna'r tro hwnnw y triodd o ddynwarad Erol Flynn a dengid allan trwy ffenast lloft y tŷ 'cw trwy iwsio pletha gwallt Mandy'r hogan hynna fel rhaffa. Lwcus iddo fo a Mandy bod Malcolm wedi palu'r ardd y diwrnod cynt. Rhyfadd be mae rhywun yn 'i gofio, tydi? Ond mi ddeuda i gymaint â hyn, ble bynnag y bydd George 'dach chi'n siŵr o gael *bloody good laugh*. A dw i'n siŵr y ceith Sandra hefyd yn y blynyddoedd sydd i ddod gan 'i bod hi bellach yn un ohonan ni.'

Neidiodd Arthur yn ei sedd wrth glywed y geiriau, ac oni bai ei bod hi'n llawer rhy hwyr mi fyddai wedi canslo'r briodas yn y fan a'r lle.

Roedd George ei hun yn chwysu chwartiau dan ddylanwad yr araith ac edrychodd draw at ei rieni am gefnogaeth.

Roedd ei fam yn dal i wenu ac roedd ei dad, hyd yn oed, wedi deffro. Heb symud ei ben gwenodd Fred ar ei fab fel petai newydd gael ei urddo'n farchog. Cododd ei fawd a wincio ar yr un pryd, tipyn o gamp i ddyn yn ei gyflwr o.

Yn anffodus, wedi cael yr hyder i ddechrau symud aelodau ei gorff unwaith eto, penderfynodd estyn ei law arall am y jin. Ond doedd yr ymennydd ddim yn medru cydgordio'r symudiadau i gyd gyda'i gilydd a tharodd y gwydr a'i gynnwys i mewn i'w ddysgl bwdin. Roedd gan Fred ddewis: gadael llonydd i'r cyfan ac archebu jin arall, neu geisio cael y ddiod yn ôl i'r gwydr. Yn annoeth braidd penderfynodd ar yr ail ddewis ac, felly, yn araf ac, fel y credai ef, heb i neb sylwi arno, cododd y bowlen bwdin â'i law chwith a gafael yn ei wydr â'i law dde. Yn araf tywalltodd y jin, yr hufen a gweddillion y *Black Forest gateau* yn ôl i'r gwydr lle nofient yn braf fel pysgod mewn acwariwm. Byddai dyn â llai o benderfyniad ganddo wedi rhoi'r gorau i'r ymdrech yn y fan a'r lle, ond nid un felly oedd Fred.

Roedd Phyllis yn dal i restru rhinweddau George ond bellach roedd sylw'r ystafell ar Fred a'i frwydr yn erbyn llygredd yn y jin. Dechreuodd bysgota am y darnau mwyaf o'r *Black Forest gateau* a'u tynnu allan ac, er nad oedd o damaid o awydd pwdin, roedd y ffaith fod tipyn o jin wedi suddo i'r gacen wedi treiddio i feddwl Fred. Dechreuodd daflu'r briwsion i'w geg fel dyn mewn sw yn bwydo'r morloi, dim ond fod y morloi yn sobor ac yn llwyddo i ddal y pysgod yn eu cegau fel arfer. Mewn eiliadau roedd golwg un a fu mewn damwain gas ar Fred. Ar ôl bachu'r darnau mwyaf sylweddolodd bod y briwsion bellach yn rhy fân i'w dal â'i ddwylo, ac felly aeth ati i sugno'i fysedd a pharatoi at ail ran y cynllun.

Erbyn hyn, fodd bynnag, roedd y stafell wedi rhannu'n ddwy garfan. At ei gilydd roedd teulu'r Huwsiaid yn mwynhau'r perfformans yn arw. Ac at ei gilydd roedd teulu Sandra yn trin yr holl beth gyda thipyn o ddirmyg, er bod eithriadau fel Edgar (ond na chymerai'r byd am ddangos hynny) ac Yncl Ior a oedd bron â chodi ar ei draed i gymeradwyo. Ystyriai Anti Lora'r cyfan fel cadarnhad o'i hofnau gwaethaf, wrth gwrs.

Ond yn ôl at Fred. Penderfynodd mai'r unig ffordd i ymosod ar goctel annisgwyl y jin a'r *Black Forest gateau* oedd gyda llwy. Llwyddodd i gael y llymaid cyntaf i'w geg, ond fel yr estynnai am yr ail cipiwyd y llwy o'i ddwylo gan ei wraig. Edrychodd ar ei gŵr am eiliad yna, heb ffŷs na ffwdan, tarodd Fred ar ei dalcen gyda'r llwy yn galed. Caeodd Fred ei lygaid a syrthiodd yn ôl yn ei gadair.

Llwyddasai Phyllis i anwybyddu'r ddrama ym mhen y bwrdd a chyrhaeddodd gleimacs ei haraith gyda phennill i'r ddau.

'Yn Saesnag mae o achos yn y *Guides* y dysgish i sgwennu poetri. I Sandra a George.

Where'er you seek o'er hill and dale
For diamonds and pearls in the land,
You George will never find so fair a gem
As the one you've found in Sand.

Diolch yn fawr. *God bless.*'

Cafodd y campwaith hwn groeso brwd gan un hanner y

gwesteion a chymeradwyaeth barchus gan y gweddill. Ond roedd y cyfan yn dechrau mynd yn drech nag Yncl Ior. Pesychodd ei ymddiheuriadau wrth Anti Lora a'i gwadnu hi am y *Wild West*.

'Does dim angen gofyn lle mae hwnna'n mynd,' meddai Anti Lora. 'Beth bynnag arall fedrai rhywun ddeud amdanoch chi, Edgar, o leia fedran nhw'm deud 'mod i wedi priodi slotyn.'

Gwenodd Edgar yn wyneb y fath garedigrwydd milain a dechreuodd ddychmygu bod Al Capone a'i ddynion yn ymosod ar Blas Pen-y-Bryn a'u gynnau yn tanio i bob cyfeiriad gan ladd dwsinau mewn eiliadau ond rhywsut mae Edgar ei hun yn dianc yn ddianaf ac yn ymuno â chriw Capone a byw bywyd gwyllt, anfoesol a dychrynllyd o feddw.

Erbyn hyn roedd Yncl Ior wedi cyrraedd y bar ac yn aros i archebu, pan ddaeth un o lanciau ifanc yr Huwsiaid ato yn gwisgo siwt lwyd olau lachar a phedair clustdlws - un ohonyn nhw yn ei glust chwith. Daeth hwnnw'n syth at y pwynt.

'Be ffwc ti'n feddwl ti'n neud, y con'?'

Barnodd Yncl Ior, o glywed tôn y llais, nad cwestiwn syml oedd hwn ond penderfynodd chwarae'r diniweityn.

'Disgwyl am ddiod. Ti'n prynu?'

'Paid â malu cachu efo fi, cwd. Welis i chdi. Welis i chdi.'

'Yn lle 'lly?' Doedd Yncl Ior ddim yn sâff o'i dir erbyn hyn.

'O, clyfar iawn. *Very witty*. Chwerthin am ben Yncl Fred, toeddat - twat.'

Ar y rât yma byddai'r hogyn wedi dihysbyddu geiriadur

Rhydychen o'i holl regfeydd mewn cwta funud. Ond torrwyd ar draws y ffrae gan y croeso i araith nesa'r brecwast a'r un olaf fel mae'n digwydd; sef anerchiad Wali. Roedd o ar ei draed.

'Reit da. Wna i ddim cynnig cyngor - achos fel hen lanc fasa fo ddim yn weddus i mi neud. Nid nad ydw i'n gwybod lot, wrth reswm - mi fues i'n chwara lot o doctors a nyrsys stalwm hefo mam Sandra . . . a . . . y . . . ond dreifio ambiwlans o'n i gan amla. Ia wel, symudwn ni 'mlaen 'ta, a darn o farddoniaeth sy gen inna - o'm pen a'm pastwn fy hun - i gyfarch y pâr ifanc.'

Ar ôl gostegu am ychydig, roedd y sŵn yn y bar yn dechrau cynyddu eto a Tecwyn yn bwrw golwg bryderus i'r cyfeiriad wrth geisio tynnu sylw Harri i fynd i weld. Ond roedd Wali wedi dechrau.

'Un peryg yw George ar gae ac mewn dawns
Does gan gôlis y lîg fel arfar ddim siawns.
Ond rŵan mae traed yr hen streicar yn sownd,
Cafodd ei rwydo gan Sandra a'i glymu rownd bownd.

Daeth George i Fryncoch fel tarw neu ddraig
A'i fryd ar gael gôls ac nid ar gael gwraig,
Ond er garwed ei osgo a chryfed ei iaith
Roedd Ciwpid a'i fwa yn disgwyl am waith.

Tra oedd George wrthi'n cicio a rhychu a ffowlio
Roedd Arthur ar y lein fel canibal yn dawnsio;
Ond heddiw ar ôl yr holl regi a baglu
Mae Arthur a'i benci yn gytûn yn un teulu.

I Sandra mae'r diolch am lwyddo i'w ddofi
A sgwennu diweddglo bach hapus i'r stori.
Pwyll ac amynedd, nid cadair a ffon,
Dyna oedd y tŵls ddefnyddiodd hon.

Arthur ac Elsie sy'n hynod o falch
Bod Sandra o'r diwedd wedi sodro y gwalch.
Mae'r gêm wedi dechrau - y nhw biau'r cae
Hir oes a dedwyddwch ddymunaf i'r ddau.'

Fel y seiniodd Wali y gair olaf daeth clec o'r bar. Roedd Yncl Ior wedi dod i ben ei dennyn. Doedd ansawdd y sgwrs rhyngddo a'r llanc clustdlysgog ddim wedi gwella dim.

'Gwranda'r bastard, does neb yn chwerthin ar ben ein teulu ni ac yn cael *get away* hefo fo, dallt?'

'Ia, iawn, washi. Ond roeddach chi i gyd yn chwerthin hefyd, toeddach? Ac mi roedd o'n ddigri, toedd?'

'Mae'n iawn i ni chwerthin, tydi, con'? Yn yncl i ydi o 'te?'

'O wela i. 'Na fo, ddrwg iawn gen i. Anghofiwn ni bob dim. Be gymri di?' A throdd Yncl Ior am y bar.

Pan welodd y llanc bod perygl i'r anghydfod ddarfod mewn heddwch ac ewyllys da, cymerodd gam sydyn yn ei flaen a rhoi dwrn i Yncl Ior ar ochr ei wep.

Un araf i lid oedd Yncl Ior ond nid mor araf â hynny.

Symudodd y slap ddim arno fo. Rhoddodd ei wydr yn ofalus ar y bar; cydiodd yn y llanc a'i daflu ar draws y Wild West Saloon Bar tua'r machlud.

Tarodd y llanc y wal nes bod ei dlysau'n dawnsio a'r wal yn crynu. Gan mai palis go denau oedd rhwng y bar a'r Keltic Feast Room roedd hergwd Yncl Ior wedi ysgwyd yr anifeiliaid a grogai ar furiau'r ystafell fwyta. Dim ond y cryndod lleiaf aeth trwy ben y byffalo ond daeth y pen carw yn glir o'r wal: hen ben nobl â chyrn fel coedwig arno.

Ehedodd hwnnw drwy'r awyr fel eryr plwm a disgyn, gwaetha'r modd, yn dwt am ben un o'r gwesteion, Anti Lora, nes bod ei phen ar y bwrdd a'r cyrn yn daclus o bobtu'i chlustiau. Roedd Anti Lora'n llonydd.

Doedd gan Arthur Picton fawr i'w ddweud wrth ei gyfnither fel arfer ond roedd y sarhad hwn ar y teulu yn ormod iddo. Cododd a chamu'n fras am y Wild West. Yn wir, cododd hanner y gwesteion ac anelu i'r un cyfeiriad tra ceisiodd rhai o'r merched ymgeleddu Anti Lora. Agorodd hithau ei llygaid ond pan welodd ddau lygad llonydd y carw'n syllu arni llithrodd yn ôl i'r tywyllwch.

Cododd y Parchedig Ronald Jones ac, ar ôl sicrhau nad oedd damwain Anti Lora'n angheuol, sleifiodd yn dawel am y drws. Yn y bar gwelodd fod pawb yn gweiddi a bygwth yn y modd mwya, gyda chryn dipyn o wthio bygythiol a chwbwl aneffeithiol. Y tu allan yn y cyntedd safai Yncl Ior yn dal joch o wisgi yn ei law.

'Fedra i ddim dioddef sŵn na gormod o bobol, Mr Jones.'

'Na finna,' cytunodd y gweinidog. Taflodd olwg yn ôl i'r Keltic Feast Restaurant. Roedd Fred Huws yn dal i orwedd yn dawel â gwên ar ei wyneb, ac yna sylwodd ar ddau arall, George a Sandra, a oedd heb gyffro o'u seddau yn dal dwylo ac yn sibrwd yng nghlustiau ei gilydd.

Gwenodd y gweinidog. Caeodd ddrysau Plas Pen-y-Bryn o'i ôl a meddyliodd nad yn ofer efallai, wedi'r cyfan, y bu llafur y dydd.

LLE MYNNO'R GWYNT

Dri mis ar ôl priodi ac ar ôl cyfnod o fyw gyda rhieni George, roedd Sandra a'i gŵr newydd yn ôl yn byw yn Llys Orwig gydag Arthur ac Elsie. Bore Sadwrn oedd hi a Sandra'n hwylio i fynd i siopa. Canodd cloch y ffôn.

'Ia? . . . *Byd y Bêl*? O! Nacdi. Sandra sy 'ma, 'i ferch o. Wel, mae'n fyr rybudd braidd, tydi? Mae Dad yn gweithio'n y becws bora 'ma a fydd o'm adra tan hanner dydd, a does gin i'm syniad sut i gael gafael ar neb arall o'r comiti . . . Na.'

Clywodd Sandra ddrws y cefn yn agor.

'Rhoswch funud. Mae rhywun newydd gerddad trwy'r drws. Daliwch y lein. Dad? Chi sy 'na?'

'Naci,' a chamodd Wali i mewn i'r gegin. 'Chwilio am dy dad ydw i a deud y gwir.'

Gwenodd Sandra arno cyn codi'r ffôn.

'Wel, fel mae'n digwydd mae 'na aelod o'r pwyllgor newydd ddod i mewn. Walter Thomas. Mae o wedi bod hefo chi o'r blaen. F'asach chi'n licio i mi ofyn iddo fo?'

'Wali. Mae pobol Bibisi-Bangor isio rhywun i siarad ar *Byd y Bêl* am y gêm ddydd Sadwrn 'ma . . . sut cyrhaeddon ni mor bell a ballu. Wyt ti awydd?'

'Y? Fi? Rargol!'

'Rhyw dipyn o hwyl fydd o, dim byd difrifol, meddan nhw.'

Ystyriodd Wali am eiliad cyn ildio.

'Wel, pam lai 'te? Er mwyn y clwb. Mi fysa dy dad yn flin iawn petaen ni'n colli cyfla fel hyn. Ac mi fydda i'n llai nyrfys y tro yma.'

Cadarnhaodd Sandra y byddai rhywun ar gael a daeth yn ôl i'r gegin.

'Lwcus i chdi ddod. Rŵan, sut ei di draw i Fangor, dwed?'

Syllodd Wali'n hurt arni.

'I Fangor? Rargol, ar y ffôn wnes i'r un o'r blaen. Fedra i ddim mynd i Fangor rŵan . . . '

'Ydi'r cae yn barod?'

'Wel, ydi - ond sbia arna i. A phaid â deud mai radio ydi o. Dw i'n gwbod hynny.'

'Wel dw i wedi gaddo rŵan, do. Be wnawn ni?'

Yn rhagluniaethol daeth sŵn llythyrau'n cael eu gwthio trwy'r drws ffrynt. Cyfarfu llygaid y ddau, a gydag un llais gwaeddasant, 'Tecs!'

Ac yn wir ar ôl clywed y newydd, a gan ei fod ar orffen ei rownd, cytunodd Tecwyn i ddanfon Wali i Fangor, er ei fod yn bur boenus am yr holl beth.

'Wel dos i mewn hefo fo 'ta,' anogodd Sandra.

'Ia, ond does 'na ddim byd i'w ddweud, nagoes.'

'Wel oes, Tecs.' Doedd Wali ddim yn cytuno. 'Dim bob dydd mae tîm fel Bryncoch yn cyrraedd pumad rownd cwpan Cymru, naci? Ac mae cael teiffio i chwara dan fflydleits yn y Drenewydd yn dipyn o anrhydedd.'

'Ydi o?'

'Wel, felly dudodd Arthur neithiwr.'

'Ia, ond pnawn Sadwrn fydd y gêm 'te.'

'Wel ia, ond mae'n twllu'n gynnar ddechra blwyddyn fel hyn.'

Rhoddodd Tecwyn y gorau i ddadlau ac wrth yrru Wali

am Fangor daliai i ryfeddu at y dwymyn bêl-droed a oedd wedi cydio yn y pentref, neu, yn fwy cywir, y dwymyn oedd wedi cydio ym mhen Arthur Picton. Roedd yn ymddwyn fel dyn a oedd wedi etifeddu holl gyfoeth Rockefeller, a'i wên lydan yn pefrio o dudalennau'r papurau lleol i gyd. A pham? Oedd, roedd Bryncoch wedi mynd ymhell yn y gystadleuaeth, ond roedd mwy iddi na hynny, a dyna pam roedden nhw ar y ffordd i Fangor.

Yn Llys Orwig, cyrhaeddodd Sandra yn ôl o'r siop i gael ei thad wrthi'n darllen ei bapur.

'Be 'dach chi'n da yn ôl mor fuan?'

'Da iawn, diolch, Sandra. A sut wyt ti?'

'O reit. Ond taswn i'n gwbod y basach chi'n ôl mor handi fyswn i ddim wedi gofyn i Wali fynd at y Bibisi.'

Pan glywodd Arthur Picton y geiriau hud 'Wali' a 'B.B.C.' gollyngodd y papur a chodi ei glustiau. A phan glywodd am ddigwyddiadau'r bore aeth drwy'r to.

'Be ddoth dros dy ben di? Wyt ti'n gall, hogan? Meddylia, mi fyddwn ni'n destun sbort hyd y wlad 'ma!'

'Be 'dach chi'n feddwl, mi fyddwn *ni*?'

'Gwranda. Fi sgwennodd at *Byd y Bêl*. At Ian Gwyn ei hun, i ddeud am 'n camp ni, a rŵan . . . '

'Camp? Un bei ac un discwalifficeshion?'

'Nid ein bai ni oedd hynny, naci? A rŵan ti 'di difetha bob dim trwy yrru'r twmffat yna i Fangor . . . rhaid i ni ei stopio fo.'

'Ond mae Tecs hefo fo.'

''Di o'm ots. Mae hwnnw'n waeth. Mi gymrith y clod ei hun. Mae 'i lygad ar 'n swydd i. Dw i'n gwbod.'

Gwaetha'r modd roedd gan Arthur broblem. Roedd y car

gan Elsie. Ond daeth ffawd i'r adwy unwaith eto yn Llys Orwig y Sadwrn hwnnw. Pwy gyrhaeddodd yn ôl wedi bod yn glanhau ffenestri'r rheithordy ond George yn ei fan felen dolciog, rydlyd, swnllyd. Clywodd Arthur y fan yn dod i stop yn erbyn ffens y cefn, ac er na fyddai wedi cymryd y byd am deithio yn y fan felen fel arfer, roedd o fel dyn ar foddi bellach, ac yn barod i drio unrhyw beth. Daeth George trwy'r drws.

'Sut aeth hi?' holodd Sandra.

'Grêt. Gwd crac. Mae 'na lot o ffenestri yn y rheithectory yna. A rŵan mi fedri ti gweld dy wynab yn bob un ohonyn nhw. Cofia di, taswn i â gwynab fatha'r person 'na fyswn i'n rhoi creosot arnyn nhw. Mae gynno fo wynab fath â *Mutant Hero Turtle*.'

'"Y person mwyaf hardd" mae Mam yn ei alw fo.'

'Na, hyll ydi o, Sand.'

'Dw i'n gwybod. "Y person . . . " O hidia befo.'

Erbyn hyn roedd Arthur yn hofran fel eryr.

'Fasat ti'n licio mynd â fi i Fangor, George?' gofynnodd yn wên-deg.

'Na fyswn.' Diflannodd y wên fel eira Mai.

'Gwranda'r penci. Ti'n cysgu yn 'y nhŷ i, yn darllen y mhapur i - neu ti'n sbio ar y llunia o leia . . . '

'Dyna ddigon. Y ddau ohonach chi.' Gwyddai Sandra'n rhy dda beth oedd pen-draw yr ymladd ceiliogod hwn.

'O.K. O.K. A' i â ti os nei di gaddo talu pres bŷs i fi dydd Sadwrn nesa i'r Drenewydd.'

Roedd bargeinio a chyfaddawdu efo George yn dân ar groen Arthur Picton, ond dan yr amgylchiadau doedd ganddo fawr o ddewis. Brathodd ei dafod.

'Ia. Iawn. Tyd.'

Y tu allan esboniodd George nad oedd drws ochor bellaf y fan yn agor ac y byddai'n haws i Arthur deithio yng nghefn yr hen Viva ar ei hyd yng nghanol y cadachau a'r bwcedi. Ac yn yr ystum anurddasol ac anghyfforddus hon y cludwyd y rheolwr i Fangor fel corff mewn hers, gan gael ei daflu a'i gleisio'n ddidrugaredd ar lawr di-spring y fan. Taflai George ambell 'Ti'n iawn, Affyr?' ato o'r blaen tra'n chwarae cerddoriaeth roc aflafar AC/DC yn uchel iawn. Prin fod angen dweud nad dyn dedwydd gyrhaeddodd stiwdios y BBC ym Mryn Meirion toc wedi i raglen *Byd y Bêl* ddechrau.

Yn y stafell, neu'r bocs matsys, a elwid yn stiwdio, ar gyfer cyfweliadau i lawr y lein i Gaerdydd ym Mryn Meirion, roedd Wali a Tecwyn wedi eu gwasgu'n glòs fel dwy bysen. Pan gyraeddasant fe gawsant orchymyn i wisgo'r cyrn clustiau, a daeth yr ysgrifenyddes ar y lein.

'Helô, Bangor. Pwy sy 'na nawr?'

'Wali. Wali Thomas, *miss*.'

'O. Ie.' Swniai'r ferch fel un a oedd wedi gobeithio'r gorau ond wedi ofni'r gwaethaf.

'Wel 'na fe. Ar eich pen eich hun y'ch chi, Mr Thomas?'

'O, na, mae Tecs hefo fi. Digwydd galw nath o yn nhŷ Mr Picton. Mae o yn gweiffio bora 'ma yn y becws, neu mae'n siŵr mai fo fysa yma, fel y rheolwr. Rydach chi'n ei nabod o, wrth gwrs . . . '

'Wali!' Gwnaeth Tecwyn arwyddion arno i gau ei geg.

'Helô. Tecwyn Parry yma.'

'Mr Parry. Mae'n siŵr y bydd Gareth yn falch o'ch cymorth chi. Fydd e 'da chi nawr, 'mhen rhyw bum munud.' A diflannodd.

Edrychodd Wali mewn penbleth. 'Gareth? Lle mae Ian Gwyn Hughes wedi mynd?'

'Wedi clywad ein bod ni'n dod mae'n siŵr. Mae'n gyfyng iawn 'ma.'

Cytunodd Wali. 'Meddylia sut oedd hi hefo Arthur i mewn hefyd.'

Gwenodd Tecwyn wrth feddwl am y peth ac yna dechreuodd gynghori ei gyfaill ar ddirgelion darlledu.

'Dwed dy stori yn dy amsar dy hun. Paid â chynhyrfu a meddylia cyn agor dy geg. Iawn?'

Roedd llygaid Wali eisoes yn cau ac agor fel ceg *goldfish* dan y straen, a llaciodd ei goler i geisio atal y chwys oedd yn dechrau cronni ar ei dalcen.

'Reit. Meddwl a wedyn agor 'ngheg. Ia. Meddwl. Agor 'ngheg.' Trodd at Tecwyn mewn panic. 'Meddwl am be?'

Gwnaeth Tecwyn ymdrech galed i siarad yn ddychrynllyd o resymol.

'Meddwl am yr hyn rwyt ti am ddeud. Ein bod ni wedi cael bei ac yn y blaen.'

'Mr Thomas a Mr Parry, mi fydd Gareth gyda chi mewn munud,' daeth y llais o'r anwel a chlywyd Gareth Blainey, y cyflwynydd, yn dod at sgwrs Bryncoch.

'Ac felly i glywed yr hanes anarferol ar sut y daeth tîm enwog Bryncoch i fod ym mhumed rownd Cwpan Cymru, awn drosodd i Fangor lle mae dau o'r pwyllgor yn disgwyl. Mr Tecwyn Parry a Walter Thomas, prynhawn da.'

'Prynhawn da.'

'Oedd hynna'n iawn, Tecs?' gofynnodd Wali.

'Beth ddywedsoch chi nawr?' oedd cwestiwn y

cyflwynydd o Gaerdydd.

'O, dim. Dim byd,' atebodd Wali. 'Gofyn i Tecwyn oedd Jean yn iawn wnes i,' a winciodd ar Tecwyn i ddangos ei fod wedi llwyddo i ddod allan o'r gongl yn llwyddiannus.

'Ie, wel at y gwpan a'ch camp chi yn cyrraedd y bumed rownd a chael gêm yn erbyn y Drenewydd a hynny heb sgorio'r un gôl fel rwy'n deall. Sut digwyddodd hynny, Mr Thomas?'

Daeth cysgod ofn dros wyneb Wali a phwyntiodd at Tecwyn i ateb.

'Wel, mae'n stori ddigon diddorol a deud y gwir. Rydan ni wedi sgorio dwy gôl wrth gwrs, wel a bod yn fanwl gywir, dwy *own goal*, 'te. Un yn erbyn Garreg Lefn yn y rownd gyntaf pan gipiodd y gwynt y bêl wrth i gefnwr Garrag ei phasio hi'n ôl i'r gôli, ac un yn erbyn y Groes yn yr ail rownd.'

'A hynny rwy'n deall ar ôl i ddau o chwaraewyr y Groes gael eu hanfon o'r cae am ymosod ar y llumanwr.'

'Ia'r slebog.' Roedd Wali wedi dod o hyd i'w dafod. 'Achos 'mod i wedi'u rhoi nhw'n camsefyllian. Doeddan nhw ddim yn lefal nag oeddan, a leni, os 'dach chi'n lefal rydach chi'n iawn - ond toeddan nhw ddim.'

'Lefel gyda beth?' holodd y cyflwynydd gan swnio fel pe bai wedi colli trywydd y sgwrs.

'Lefal hefo be?' gofynnodd Wali gan fethu â chredu ei glustiau. 'Chi ydi'r arbenigwr. Os nad ydach chi'n gwbod, sut gythral ydach chi'n disgwyl i mi wybod? Rargol, 'dach chi'n rhai tlws. Fydd Arthur yn deud yn amal nad ydi'r bois teledu 'ma yn gwbod dim - a sôn am Arthur, mi faswn i'n licio ymddiheuro achos . . . '

Mae'n debyg mai mynd i ymddiheuro am ei absenoldeb oedd Wali, ond ar yr eiliad honno cododd ei olygon wrth glywed sŵn y tu allan i ddrws y cwt, a thrwy'r ffenest fach gwelodd wyneb arswydus ei reolwr wedi ei wasgu yn erbyn y gwydr.

'. . . Mae o yma! Sbia, Tecs.'

Ond doedd dim angen i Tecs sbio gan i Arthur gamu i'r cwt yn ddiseremoni a sibrwd yn uchel.

'George. Aros di fan'na.' Ond doedd George ddim am golli ei gyfle am anfarwoldeb.

'*No way*, Affyr. Dw i'n dod i mewn.'

'Does 'na'm lle, nacoes,' ysgyrnygodd ei dad-yng-nghyfraith. A ddwedodd o erioed fwy o wirionedd. Ond trwy ei wthio ei hun i mewn, cipio'r cyrn oddi ar ben Wali a gwthio hwnnw nes ei fod yn ei gwman o dan y bwrdd, hawliodd Arthur le iddo'i hun. Neidiodd George ar y ddesg, cau'r drws y tu ôl iddo ac angori ei hun yn erbyn y muriau â'i draed, fel dringwr ar y Grib Goch. Rhoddodd Arthur y cyrn clywed ar ei ben mewn pryd i glywed Gareth yn holi â thinc o bryder yn ei lais, '. . . sy'n digwydd acw?'

Roedd Tecwyn ar fin ateb pan ddisgynnodd llaw y rheolwr ar draws ei geg a'i wasgu y erbyn y wal.

'Helô, Mr Picton *speaking*. Ian. Sut mae stalwm? Ga i ddeud cymaint dw i'n mwynhau *Sgorio* ar nos Lun. *First class*.'

Bu ennyd o ddistawrwydd cyn i'r cyflwynydd hel ei feddyliau.

'Y . . . Gareth sy fan hyn . . . y faint ohonoch chi sydd ym Mangor erbyn hyn?'

'Un!'

'Un?'

'Ia, mae'r lleill wedi gorfod mynd . . . i baratoi'r cae ar gyfer y pnawn 'ma.'

Dechreuodd Wali geisio codi o'r llawr ond rhoddodd Arthur ei benglin ar ei ysgwydd i'w gadw yn ei le.

'Mr Picton! Mr Picton!' Roedd Wali mewn poen.

'Beth sy'n digwydd draw ym Mangor?'

'Dim. Dim byd. Be ga i neud i chi Ian . . . Gareth?'

'Mr Picton!' Roedd Wali yn chwythu fel baedd gwyllt ac roedd rhaid i Arthur ei dawelu. Cododd ei ben-glin a chloi pen y llumanwr rhwng ei gluniau mawr. Er gwaetha'r sŵn a ddeuai o Fangor daliodd yr holwr i ganlyn ymlaen â'r sgwrs anarferol hon orau y gallai.

'Ac ar ôl y ddwy *own goal* ddaeth â chi i'r drydedd rownd, beth ddigwyddodd wedyn, Mr Picton?'

Rhwng gwasgu ei gluniau at ei gilydd fel dyn â'r bib arno, a cheisio cadw pen Tecwyn yn llonydd, roedd y chwys yn llifo i lawr wyneb Arthur Picton erbyn hyn, ond roedd yn benderfynol o amddiffyn anrhydedd y clwb.

'A! Dwi'n gweld mai hanner y stori gawsoch chi gan fy nghyfeillion. Roeddan ni'n fistar corn ar y ddau dîm, cofiwch, ac mi fasan ni wedi medru ennill o bum gôl yn hawdd blaw am ddyfarnu trychinebus mewn un gêm a thactegau mochynnaidd yr ydym wedi dod i'w disgwyl gan Reg Clark a'i dîm o hwliganiaid!'

'Hei! *Nice one*, Affyr!' George yn porthi.

'Ond beth am y *bye* a'r *disqualification*, Mr Parry - Picton?'

Mae'n anodd gwybod pa liw y byddai Arthur wedi ei roi i'r ateb a chawn ni fyth wybod bellach, oherwydd yn sydyn fe'i codwyd i'r awyr fel un o rocedi Cape Canaveral yn esgyn yn araf am y gofod. Roedd Wali, mewn ofn am ei fywyd rhwng cluniau ei feistr, wedi gwneud un ymdrech oruwch-naturiol a chodi'r corff mawr i'r awyr ar ei ysgwyddau.

Wyneb yn wyneb â thrychineb neu angau fe ddywedir fod dyn yn ymateb mewn un o ddwy ffordd. Un ai mae'n ildio ac yn gwywo, neu mae'n darganfod egni cudd ac yn brwydro am ei einioes. Wel, wyneb yn wyneb â mygu rhwng cluniau Arthur Picton - ffawd greulon i unrhyw un - cawsai Wali gymorth o'r tu hwnt i fyd ac amser, mae'n rhaid.

Gwaetha'r modd i Wali, gan fod Arthur mor dal, dim ond rhyw naw modfedd y teithiodd y rheolwr ar i fyny cyn taro'i ben yn erbyn to'r stiwdio. Stopiodd y roced a disgynnodd yn ôl gan wasgu Wali Thomas yn ôl i'r tywyllwch o dan y bwrdd.

Edrychodd George gyda chwilfrydedd ar y cyfan. Ond roedd Tecs wedi ei ryddhau o afael llaw Arthur ac yn dal i geisio cael ei wynt ato. Roedd llais y cyflwynydd yn dangos arwyddion o straen.

'Ga i ateb? Mr Picton, beth sy'n digwydd?'

Ond cyn i neb gael cyfle i ateb - ac roedd y slap a gawsai ar ei ben wedi simsanu'r rheolwr - daeth arwyddion bod corff Wali Thomas yn dod i ben ei dennyn. Fel llef un yn llefain, torrodd rech. Un ddistaw. Un beryglus o ddistaw.

Ailgydiodd Arthur yn ei bregeth. 'Fel ro'n i'n deud . . .' Ond roedd yr ergyd wedi peri iddo golli pob synnwyr cyffredin yn ôl pob golwg. ' . . . Tydi Reg Clark ddim yn gall; mae 'na lechan ar goll; tydi ei olwyn o ddim yn troi'n grwn - ond er gwaetha'i hen driciau budr o ni sy'n . . .'

'Fflipin hec!'

Mewn lle mor gyfyng doedd cyfraniad Wali ddim wedi bod yn hir yn gwneud ei farc ar George a'r lleill. Daeth dagrau i lygaid Tecwyn a oedd yn dal i ddioddef o ymosodiad y rheolwr.

'Agor y drws 'na, George! Agor o!'

'Fel ro'n i'n deud . . .' Yn sydyn wafftiodd yr arogl i ffroenau Arthur uwchben. ' . . . Be gythral? George! Be ddiawl ti'n feddwl ti'n neud?'

'Dim fi oedd o!'

'Arthur!' Sylweddololodd Tecwyn eu bod yn dal ar yr awyr. 'Rydan ni'n dal yn fyw ar yr awyr!'

'*Not for long, pal!*' Roedd George yn ceisio agor y drws ond gan fod Arthur yn ei wthio roedd o wedi ei wedjo yn dynn yn ei erbyn. 'Paid, Affyr! Paid!'

'Pwy sy wedi byta'r soffa?'

'Ai. A'i nain yn dal arni!'

Roedd hi fel Tŵr Babel yn nhwll du Bangor.

'Bydd raid i ni adael Bangor. Mae'n amlwg bod rhywbeth anarferol iawn yn digwydd yno.'

'Tŵ trŵ, pal.'

'Agor y drws, George!' Roedd Tecwyn yn welw fel y galchen ac ar fin cyfogi.

'Dw i'n styc, tydw. Affyr! Symud!'

Ac fe symudodd Arthur. I fyny fel o'r blaen ar ysgwyddau Wali, a'r tro hwn llwyddodd y llumanwr i ryddhau y cwlwm oedd yn ei gaethiwo. Disgynnodd Arthur ar y bwrdd meicroffon. Dymchwelodd hwnnw gan daflu George ar ei ben yn gweiddi, 'Geronimo! Lle mae'r cameras?'

Gwthiodd Tecwyn Wali nes bod pen hwnnw'n agor y drws i'r awyr iach, a phowliodd y pedwar allan i ddiogelwch y coridor ac at draed pennaeth y stwidios a gawsai ei alw gan y comisionêr.

Gartref, yn Llys Orwig, eisteddai Sandra wrth fwrdd y gegin yn gwrando ar y radio. Roedd ei phen yn ei dwylo a'i llygaid ynghau. Rhedai dagrau i lawr ei hwyneb. Roedd hi'n glana chwerthin.

Funudau'n ddiweddarach, y tu allan i Fryn Meirion, safai'r pedwar a ddaeth o'r cyfyngder mawr ar yr iard wedi i Mr Ifans, pen bandit y BBC, fygwth galw'r heddlu a'r uned hybu iechyd. Yn naturiol roedd Arthur yn bananas.

'Dyna fo! Dyna fo! Ddeudis i. Wedi difetha pob dim, yndo? Ein cyfla ni i dynnu sylw at ein camp ni - ac i ddenu pres noddwr i dalu am y trip - wedi mynd mewn pwff o fwg.'

'Blydi reit, Affyr. A mwg drwg iawn oedd o, Wal!' cytunodd George.

'Dw i wedi'n siomi, o do, yn enwedig ynat ti, Tecwyn. Mynd tu ôl i 'nghefn i fel 'na. Chwilio am y clod.'

'Arthur!' Ond chafodd Tecwyn ddim cyfle i achub ei gam.

'Na, waeth i ti heb. Rydan ni'n laffing stocs i'r holl fyd rŵan, tydan. Tydan?'

'A bai pwy ydi hynny?' Doedd Wali ddim am fod yn gocyn hitio i neb.

'Wel dy fai di, 'te! Pwy arall?'

'Fi? Tasach chi wedi aros y tu allan, neu wedi aros adra o ran hynny, mi fysa pob dim yn iawn. Roedd Tecs a fi yn mynd reit ddel nes i chi ddechra busnesu!'

'Gwranda'r bradwr . . .!' Roedd gwaed Arthur yn berwi.

'Na, mae gynno fo boint, Arthur. Waeth i ti heb. Mae isio deryn glân i ganu.'

'Tŵ trŵ, Tecs. Ond chwara teg mi fysa'r caneri wedi marw mewn fan'na!'

'Cau dy geg, y penci!' Roedd Arthur wedi myllio y tu hwnt i bob rheswm bellach. 'A! Wela i. Gangio yn fy erbyn i rŵan. Cynllwyn. Brad y cyllyll hirion. Dw i'n 'i dallt hi rŵan. Ond chewch chi ddim gwarad arna i mor handi. O na chewch. Fi ydi'r rheolwr o hyd, a fi fydd yn arwain y tîm 'na wsnos nesa. A fi fydd yn ei ddewis o - felly stwffiwch hynny yn 'ch piball a'i smocio. Dw 'di darfod hefo'r . . .'

Mae'n bosib bod Arthur am ddweud "y tri ohonach chi" ond sylweddolodd mewn pryd bod yn rhaid iddo fo wrth George er mwyn cael pàs adra.

' . . . Do, hefo'r ddau ohonach chi. 'Dach chi'n dallt? Ffinito. Capwt. Tyd, George.'

'Ai. O.K., Affyr. Jest deud "sori" am alw fi'n penci a mi gei di bàs.'

'Gwranda di . . . wel . . . ia, y . . . colli'n limpyn ddaru mi . . . y . . . sori.'

'Diolch, Affyr. Hwyl, lads.' Ac agorodd George ddrws cefn y fan felen i adael ei reolwr i mewn ar ei bedwar. A rhwng yr ymddiheuriad a'r fan collodd Arthur y rhan fwyaf o'i urddas a'i golyn. Yn wir fe gafodd Wali a Tecwyn siwrnai hwyliog yn ôl wrth ddwyn i gof ddigwyddiadau'r dydd.

*

Wythnos yn ddiweddarach gwawriodd dydd Sadwrn y gêm

yn oer a gaeafol. Petai'r gêm i'w chwarae ym Mryncoch byddai wedi ei gohirio, ond y neges o'r canolbarth oedd bod y gêm ymlaen.

Bu'n wythnos llawn tensiwn. Gwrthododd Arthur dorri gair â Tecwyn a Wali yn dilyn helyntion y bore Sadwrn. Cafwyd pwyllgor lle darllenodd Arthur enwau'r tîm a threfniadau ac amser y bŷs ac yna gadael heb dorri gair suful â'r ddau aelod arall.

Gan wybod mai haenen denau o rew oedd rhyngddo ef a dyfroedd oer teimladau Arthur, roedd George wedi bod fel sant trwy'r wythnos. Yn y gobaith o sicrhau ei le yn y tîm, ni wnaeth y croesair hawdd ym mhapur newydd ei dad-yng-nghyfraith cyn i Arthur gael cyfle arno, ni eisteddodd yng nghadair gŵr y tŷ ac ni adawodd ei sanau budron ar lawr y stafell ymolchi unwaith drwy'r wythnos. Bu'r ymdrech yn llwyddiant a phan gyhoeddwyd y tîm nos Iau roedd enw George ar y rhestr. Fel mae'n digwydd roedd enw Tecwyn arni hefyd gan mai dim ond deuddeg chwaraewr swyddogol ac iach oedd ar y llyfrau. Ond roedd yr heddwch a fu'n teyrnasu yn Llys Orwig ar fin cael ei chwalu gan densiwn y dydd.

Wrthi'n hwylio brecwast yr oedd Sandra pan agorodd y drws i ddatgelu ei thad mewn trowsus a fest a brwsh dannedd yn ei law.

'Lle mae o? Lle mae o?'

'Lle mae pwy?' gofynnodd Sandra gan wybod yn iawn pwy.

'Fo 'te. Y peth 'na ge'st ti fel gŵr. Lle mae o?'

'Ara deg, Dad, neu mi fyddwch chi wedi chwythu ffiws! Be sy?'

'Be sy? Mae o'n cysgu yn 'y ngwely i, yn byta 'mwyd i, yn dwyn fy sana i, a rŵan mae o'n bachu 'mrwsh dannedd i i llnau'r iwreinals 'na sgynno fo fel dannedd. Os gwneith o eto mi stwffia i'r brwsh 'na lawr 'i gorn glag o ac allan . . .'

'Dad!' Sylweddolodd Sandra bod angen troedio'n ofalus. 'Dw i'n siŵr mai camgymeriad oedd o.'

'O, naci. Mae o'n iwsio 'mhâst i hefyd,' meddai'n fuddugoliaethus fel pe bai newydd ddarganfod cyfrinach DNA.

'Twt. Sut fasa hi'n bosib i chi wybod peth felly?'

'A! Dw i'n gwybod, 'merch i. Dw i'n gwasgu'r tiwb o'r gwaelod tydw - a'i rowlio fo'n daclus, dallta di, lle 'mod i'n gwastraffu dim. Ond rŵan, er i hwn ddod yma, mae golwg ar y tiwb fel tasa rhywun wedi trio'i dagu o i farwolaeth, ac mae'r pâst hyd y bath i gyd. A ddoe, mi ffindis i ddarn ar y siling - wedi saethu allan fel bwlet a glynu yn y to. A phwy yn y tŷ yma fysa'n gneud peth felly ond yr hwligan yna?'

Gwrandawodd Sandra'n amyneddgar gan ddisgwyl i'r teiffŵn fynd heibio. Gwaetha'r modd pwy, o bawb, ddaeth trwy'r drws ond y *Colgate Kid* ei hun.

'Haia ffans! Affyr.'

O weld golwg go fudur arno, ac i geisio'i gadw o grafangau ei thad, dechreuodd Sandra, 'Lle wyt ti wedi bod? Pwll glo?'

'Hefo Wali. Mae ei atic o'n llawn o rybish.'

'Dwad rwbath newydd wrtha i. Gwranda'r cranci mul!'

Trodd George at Arthur mewn ffug syndod.

'Hefo fi ti'n siarad, Affyr?'

'Arclwy Mawr! Ti'n gweld hwn . . .?' a daliodd y brwsh dannedd o flaen trwyn ei fab-yng-nghyfraith. Edrychodd hwnnw arno a'i astudio'n fanwl.

'Be ydi hyn, Affyr? Testio'n ll'gada neu cwis? Gymra i gwestiwn ar *sport*.'

Tynnodd Arthur anadl ddofn i geisio rheoli ei deimladau, ac mewn llais tawel, bygythiol, rhybuddiodd, 'Twtsia di ben dy fys yn 'y mrwsh dannadd i eto a fydd gen ti ddim dannadd ar ôl i'w llnau. Dallt?'

Daeth rhyw olwg o ryfeddod a syndod dros wyneb George.

'O! Brwsh dannedd ydi o?' gofynnodd. 'Anodd deud tydi. Dim ond hanner dwsin o blew sy ar ôl arno fo - un i bob dant, ia, Affyr?'

'Gwranda di! 'Y mrwsh i ydi hwn.'

'Na, na, cris croes tân poeth, Affyr. Tydi'r brwsh dannadd yna erioed wedi bod y tu mewn i 'ngheg i. Ar y mheth mawr i. Iawn, Affyr?'

'Dyna fo; ddudis i 'ndo, Dad.'

'Hy!' Doedd Arthur ddim wedi ei argyhoeddi. 'Ti sy wedi bod yn gwasgu 'nhiwb i?' cyhuddodd unwaith eto.

'Nefyr, Affyr. Fyswn i ddim yn twtsiad dy diwb di. Mae gin i un fy hun, 'toes Sand?' a winciodd ar ei wraig. Mae'n anodd dweud beth yn union a yrrai George i dymentio ei dad yng nghyfraith ar bob achlysur, ond am y tro, roedd o wedi llwyddo i leddfu'r cynddaredd. Dechreuodd Arthur gilio tua drws y llofft.

'Iawn. Wel, cofia be ddudis i.'

'O.K., Affyr. O.K. Heddwch ar y nefoedd a wyllys iawn i bob dyn - a dynas. Iawn?'

'Iawn.'

Gwenodd Sandra. Trodd Arthur am y llofft ac roedd ar

fin diflannu pan ddaeth llais George eto.

'Cofia di, Affyr. Roedd y brwsh yn briliant i llnau rhwng bodia traed fi . . .' a rhuthrodd drwy'r drws cefn i'r iard cyn i'r sosban daro'r cwpwrdd bwyd.

'Tynnu'ch coes chi mae o, Dad,' ond rhuthrodd Arthur at y drws cefn a bloeddio, 'Ti wedi chwara dy gêm ola i Fryncoch, washi! Ac mi gei di chwilio am le arall i gysgu heno hefyd. O cei. Y mynci mul!' Trodd at ei ferch. 'Dw i o ddifri, 'sti.'

Caeodd Sandra'i llygaid a rhoddodd ochenaid fach o anobaith.

*

Safai'r bŷs y tu allan i'r tai cyngor yn disgwyl y teithiwr olaf. Tecwyn Parry, yn ôl hir draddodiad, oedd hwnnw, a phan gyrhaeddodd cafodd y croeso arferol gan bawb ar wahân i Arthur a benderfynodd ei anwybyddu. Roedd Tecwyn yn cario bag anarferol o fawr, ac wrth iddo chwilio am le i'w gadw bu dyfalu mawr a chyhoeddus beth yn union oedd ynddo.

'Ti wedi dod â Jean hefo ti?' gofynnodd George.

'Na, wedi dod â matras hefo fo i gysgu 'nghefn y gôl mae o,' cynigiodd Harri.

Chymerodd Tecwyn ddim sylw ohonyn nhw, ond bron nad oedd 'na olwg o gywilydd ar ei wyneb wrth iddo setlo i lawr yn ymyl Wali.

'Iawn, Wali?'

Roedd Wali'n gafael yn dynn mewn cês ar ei lin fel pe bai'n gwarchod holl drysorau'r frenhines.

'Paid â phoeni, Tecs. Tydi o ddim yn siarad hefo finna chwaith,' ac amneidiodd Wali i gyfeiriad y rheolwr oedd yn eistedd ym mlaen y bŷs yn edrych fel bwch.

Cafwyd taith ddidrafferth i'r canolbarth er bod eira ar fryniau Maldwyn a'r awyr lwyd yn bygwth gwaeth i ddod. Ac roedd gwaeth i ddod.

Wrth ddynesu at y Drenewydd trodd Wali at Tecwyn a gofyn a oedd ganddo le i gadw rhywbeth ychwanegol yn ei fag. Esboniodd hwnnw ei fod o'n bwriadu gadael un neu ddau o bethau ar y bŷs yn ystod y gêm.

'Pam? Be sy, Wal?'

'Mam sy wedi stwffio llond cês o frechdana a theisenna o bob math achos bod hi'n meddwl bod y Drenewydd 'ma yn yr anialwch a dw i'm isio i bawb weld.'

'Paid â phoeni, sylwith neb. Gei di 'u rhoi nhw hefo 'mhetha fi.'

Ac felly y gwnaed. Ond yn groes i broffwydoliaeth Tecwyn fe sylwodd rhywun. Fe sylwodd George nid yn unig ar bicnic helaeth Wali ond ar y flanced enfawr yr oedd Jean wedi mynnu ei rhoi i'w gŵr rhag iddo fo rynnu ar y ffordd yn ôl.

'Cawn ni agor caffi yn farchnad Newtown - a gna'n ni iwsio plancad Tecs fel tent!' gwaeddodd George ar draws chwerthin y tîm. Profodd y cyfan yn ormod o demtasiwn i Arthur hyd yn oed a thorrodd ei fudandod.

'Be oeddat ti'n feddwl neud, Wali? Porthi'r pum mil? A hynny ar flancad Tecs, mae'n siŵr,' a chwarddodd Arthur am ben ei ffraethineb ei hunan.

Doedd Wali ddim wedi gwerthfawrogi'r hiwmor.

'Be wyddoch chi? Hwyrach na fydd 'na'm bwyd 'na - ac y

bydd yr hogia'n falch o rwbath cyn nos.'

'Gwranda, washi. Dw i wedi gwneud trefniadau 'ndo. Gneud petha'n iawn 'te. Rydan ni'n cael stop yn y Cross Foxes ar y ffordd adra - am damaid bach i fyta. Gei di roi dy frechdan i'r gwylanod, yli. Rŵan dowch reit handi.'

'Paid â chymryd sylw ohono fo,' cysurodd Tecwyn. 'Mae o wedi mynd yn rhyfadd ar ôl y miri Bangor 'na.'

Waeth heb â sôn am y gêm. Collodd Bryncoch yn drwm o wyth gôl i un. A bu ond y dim iddyn nhw gadw at eu record o beidio sgorio gôl o droed un o'u chwaraewyr eu hunain, ond llwyddodd Graham i roi'r bêl yn ei rwyd ei hun. *Own goal* oedd yr un gafodd Bryncoch hefyd.

Nawr, ennill neu golli, bwriad yr hogia oedd cael awr neu ddwy yn nhai potas y Drenewydd ar ôl y gêm i ddathlu neu i foddi gofidiau. Ond roedd gan y rheolwr gymaint o gywilydd o'r perfformiad, meddai o, fel y mynnodd bod y bŷs yn gadael yn brydlon ar ôl y gêm. I geisio ennyn rhywfaint o ysbryd trip aeth yr hogia, gyda George a Harri'n arwain, ar eu pennau i'r *off-licence* agosaf a phrynu stoc helaeth ar gyfer y tîm. Yn anffodus pan gyrhaeddwyd yn ôl at y bŷs roedd Arthur wrth y drws yn mynnu nad oedd am ganiatáu alcohol yn agos i'r lle.

'Rydw i am inni gyrraedd y Cross Foxes yn sobor ac yn gall, os ydi hynny'n bosib. Ac os ydi hi'n anodd,' meddai, gan edrych ar George a Harri, 'i rai ohonach chi fod yn gall, mi fedrwch fod yn sobor, o leia.'

'Ai wel, roedd Tecs yn sobor pnawn 'ma, Affyr, ond wnaeth hynny ddim 'i helpu o, naddo!'

'Sobor o sâl oedd Tecwyn, George. Fatha'r rhan fwya ohonach chi. Rŵan cerwch â'r cania 'na'n ôl. Mae'r bŷs yn gadal mewn pum munud - hefo chi neu hebddach chi.'

A chwarae teg i bawb, o fewn pum munud roedd pob un yn ei le a chychwynnwyd ar y daith yn ôl a hithau'n nosi'n gyflym. Hynny, mae'n debyg, a dieithrwch y ffordd, barodd i Petula, oedd yn gyrru'r bŷs, fethu'r troad yng Nghaersws am Lanbryn-mair. Roedd y bŷs yn Llanidloes cyn i Tecwyn sylweddoli eu camgymeriad. Yn anochel, bu ffrae ynghylch pwy oedd ar fai.

'Wel, chdi sy'n deud bod ti'n 'nabod Cymru, Tecwyn!' gan Arthur.

'A chdi sy'n honni dy fod ti wedi trefnu'r trip 'ma,' yn ôl gan Tecwyn.

'Tyd â'r map 'na i fi!' a chipiodd Arthur y map o law'r wraig anffodus oedd wrth y llyw.

'Reit. Y ffordd 'gosa ydi ffor'ma; heibio'r llyn 'na. Ffwrdd â ni!'

'Na, gwranda, Arthur, well i ni fynd yn ôl a rownd y gwaelod. Mae'n serth iawn heibio Clywedog, yn enwedig a hithau'n bygwth eira fel hyn.'

Ac yn wir, roedd hi eisoes yn pluo'n ysgafn.

'Gwranda. 'Y nhrip i ydi hwn. Felly cadwa di allan o betha. Dw i 'di gaddo i'r Cross Foxes y byddwn ni yno yn brydlon. A-we, Petula. Dros y top.'

A dyna sut y bu i'r bŷs fynd yn stŷc ym Mwlch y Gle ar lannau Clywedog. Ar ôl methu dringo'r rhiw i fyny'r bwlch oherwydd rhew ar y ffordd, daeth storm fawr o eira a'i gwnaeth hi'n amhosibl i'r bŷs symud ymlaen nac yn ôl. A dyna hefyd sut y bu i Arthur Picton gael ei ethol fel y dyn mwyaf amhoblogaidd yn y byd gan ei gyd-deithwyr. Pwdodd y rheolwr ac eisteddodd yn y blaen gan wrthod siarad â neb. Dim bod neb yn awyddus i siarad ag o, p'run bynnag.

Yn rhyfedd iawn, mewn sefyllfa o'r fath byddai rhywun yn disgwyl cryn dipyn o dyndra a drwgdeimlad yn y cwmni ond, ar ôl rhyw awr, roedd awyrgylch hwyliog iawn yn y bŷs. Deilliai yn bennaf o'r cefn lle'r oedd cryn dipyn o rialtwch yn cael ei arwain gan chwerthin Graham a oedd yn dwyn i gof chwerthiniad od y ci cartŵn hwnnw, Mutley. Roedd esboniad syml, wrth gwrs. Smyglwyd y ddiod a brynwyd i'r bŷs trwy'r drws tân yn y cefn ac yn awr roedd y cwmni llon wrthi'n ei ddrachtio mewn modd a fyddai'n ddychryn i hyrwyddwyr Curiad Calon Cymru.

Pasiwyd can neu ddau i Tecwyn a Wali, a chofiodd yntau yn ei dro am y bwyd a baratowyd gan ei fam. Cyn bo hir roedd brechdanau cig moch a *chutney* cartref Lydia Thomas yn rhan o wledd na welwyd ei thebyg ar fryniau Clywedog ers dyddiau Glyndŵr.

Fu Arthur Picton ddim yn hir cyn sylweddoli bod rhywbeth sinistr yn digwydd y tu ôl iddo. Ei ymateb cyntaf oedd ei anwybyddu gan feddwl mai gwneud ati oedd yr hogiau. Ond cyn hir dechreuodd rhyw gnoi yn ei stumog. Roedd ei geg fel rasp ac roedd y gwynt a chwipiai dan ddrws y bŷs yn dechrau fferru ei draed. Er hyn i gyd, dyn penstiff iawn oedd y rheolwr a byddai mynd i fegera gan ei elynion y tu hwnt iddo.

Sandra oedd y cyntaf i geisio torri'r garw.

'Ydach chi'n iawn, Dad?'

'Ydw. Debyg iawn.'

'Ydach chi isio rwbath?'

'Nagoes diolch. Dw i'n iawn. Dos di'n ôl i fwynhau dy

hun,' atebodd yn hunandosturiol.

''Dach chi'n gwbod bora 'ma, be ddudsoch chi am George ddim yn cael cysgu acw . . .'

'Waeth ti heb. Dw i wedi deud a dydw i ddim yn mynd i newid 'y meddwl. Iawn?'

Prin y clywodd yr 'Iawn' distaw a sibrydodd Sandra cyn troi'n ôl yn bendrist i gefn y bŷs.

Chwyrlïai'r plu eira uwch Clywedog yn y düwch a oedd wedi cau o amgylch golau egwan y bŷs.

Y tu fewn i'r cerbyd tra cynyddai'r sŵn y tu ôl iddo, daliai'r rheolwr i eistedd fel delw yn y blaen, yn farw i bopeth.

Tecwyn oedd y nesaf i ddod ato. Daeth â blanced Jean gydag o a'i rhoi dros bengliniau'r rheolwr.

'Rhyw hen ddrafft go hegar o'r drws 'na, Arthur. Watshia di ddal niwmonia. Gadwith hon ti'n gynnas. Un dda ydi hi. Nain Jean wnaeth ei gweu hi . . .'

Ciliodd Tecwyn yn ôl i'r rhialtwch heb gael ymateb.

Toc daeth Wali i'r blaen yn cario brechdan ham a phicl, dwy fins pei a bara brith, a'u gosod ar ben y flanced ar arffed y rheolwr.

'Cyn i'r arabs 'na yn y cefn fyta'r cwbwl 'te, Mr Picton. Dw i'n recomendio'r bara brith yn arbennig. Mi ddeuda i hyn am Mam; fedar neb 'i churo hi am fara brith.'

Ddaeth dim ymateb, a llithrodd Wali yn ôl at y criw a oedd ar y deuddegfed pennill o 'Bing-Bong' erbyn hyn.

Roedd George wedi derbyn newyddion Sandra am ymateb ei thad, ond wrth weld Arthur yn eistedd mor chwerthinllyd o urddasol ar ei ben ei hun cododd George a mynd ato. Tynnodd botel fach o rŷm o'i boced a'i gosod wrth ymyl y mins pei.

'Mae'n ddigon oer i rewi ceillia *polar bear*, Affyr. Sdim isio i ti beio dy hun, 'sti. Mae pawb yn gneud mistêcs weithia. Meddylia am Scott of ddy Antartica. Na, well i ti peidio. Ac am y busnas cysgu 'ma. Mae pob dim yn iawn - ga i gysgu hefo Wal. Mae mam fo yn licio fi. Mae hi'n od fel'na. A pwy sa isio twlali fel fi yn y tŷ 'te? Tyd rŵan. Cod dy calon. Mae 'na enfys ar ddiwadd pob *rainbow*.'

Rhoddodd glep gyfeillgar ar ysgwyddau Arthur ac esgusodi ei hun. Gwasgai'r rheolwr ei wefusau'n dynn; daeth rhyw sŵn o'i drwyn ac am eiliad neu ddwy ymddangosodd deigryn bychan bach yng nghornel ei lygad. Fuodd o ddim yno'n hir mae'n wir, ond mi fu yno.

★

Gwawriodd yn fore heulog braf a buan iawn y meiriolodd y rhew a'r eira gan ganiatáu i'r bỳs a'i lwyth cysglyd fynd ymlaen ar eu ffordd adref yn un teulu mawr cytûn.